韓国コンテンツのグローバル戦略

韓流ドラマ・K－POP・ウェブトゥーンの未来地図

黄仙恵

JN052872

星海社

245

SEIKAISHA SHINSHO

来日20年、韓流20年

私が20代後半に来日してから、あっという間に20年が経過した。この20年という月日は、韓国文化の代名詞である「韓流（はんりゅう）」が日本に到来して様々な社会現象を巻き起こし、また日本に限らない世界規模のコンテンツとして海外まで浸透した歳月と同じだ。

日韓関係は、歴史や政治などの敏感な外交問題を抱えているが、文化についてはお互いに好きと言い合える関係を築けている。２０２２年5月には、是枝裕和（これえだひろかず）監督が韓国の俳優陣や制作スタッフたちと共同で製作した映画『ベイビー・ブローカー』がカンヌ国際映画祭において2冠を達成し、日韓協創のコンテンツが世界に通用することを証明した。映画、ドラマ、音楽、アニメなど、両国のコンテンツづくりは長い歴史を持ち、その過程で得られた知識とスキルは北米・ヨーロッパにも劣らない。

韓国の大衆文化が、とくにコンテンツをきっかけに日本を含めたアジアでは「韓流」として、また全世界では「K-Culture」として拡大していった仕掛けや戦略はどういったものだったのだろうか。一本のドラマにより、一曲の歌により、一人の監督により、韓国の大衆文化が世界進出を成し遂げたわけではない。また韓国コンテンツが世界を席巻した理由についても、ストーリーがよく、ダンスパフォーマンスが素晴らしく、アイデアが奇抜だからなどと端的に言い表すことはできない。

明確に言えるのは、「韓流」「K-Culture」は一時的なブームに留まらず、20年間の歳月をかけて、挑戦、成功、失敗を繰り返し、世界市場向けの立派な輸出文化商品として成長してきたということだ。20年前、一発屋で終わるはずだった韓流コンテンツは進化の道のりを開拓し続け、世界的に一定の存在感を得た現在からさらに多様に、多角的に発展することを目指している。

ＮＨＫ衛星放送にて韓国ドラマ『冬のソナタ』が放送された２００３年は「韓流元年」と言われる。韓流は２０２３年で20周年を迎えることになる。韓流はなぜここまで発展を続けられたのか、さらに言えば、なぜ世界を席巻するほどのグローバルカルチャーとして成長できたのか、きっとなにかがあるはずだ。

コンテンツという架け橋

ある日、学校帰りの小学生たちが大きな声で話しているのを耳にした。「〇〇ちゃん、知ってる？〝だるまさんが転んだ〟は、韓国では動くと殺されるよ。ちょう怖い」「本当なの？」「うん、韓国のドラマではね」。

毎年、私の住むマンションのロビーに七夕飾りが置かれる。偶然見た短冊に「TWICE（トゥワイス）に会えますように……」と書かれていたことが忘れられない。

エレベーターで居合わせた二人の女子小学生のランドセルに隙間なく貼られたK－POPガールズグループのステッカー。そのグループは知っていたが、あえて誰なのかを聞いてみたら「個人情報なので言えない」と返された。

この三つのエピソードに見られるように、小学生が楽しむエンタメの変化に驚いた。デジタルネイティブの世代は、情報収集や遊び方が従来から変化するだけに留まらず、他国の文化を自然に摂取している。トランスナショナル化していくポピュラーカルチャーの在り方を実感できたエピソードだ。

20年経った今、60～70代となった元祖韓流ファンの間でも、韓流という言葉も知らない小学生の間でも、コンテンツが日本と韓国の架け橋になっていることは変わっていない。

ドラマ、映画、音楽、アニメなど、様々なコンテンツをきっかけに、両国の異なる文化や社会、歴史などをお互いに知り、より深く理解しようとする行動そのものが文化交流であるはずだ。両国をコンテンツが行き来することを架け橋として、「泣き」「笑い」「推し」など国境を超えて共有可能な感動が生まれ、新たな相互理解へとつながる。このような実践が、日本を含め世界で「韓流」「K-Culture」という文化現象を引き起こしている。

次世代のコンテンツビジネスのために

私は韓国の公共放送局でキャリアをスタートさせ、主に情報・ドキュメンタリーなど教養番組の制作を担当した。2002年に来日してしばらくした頃、韓国のテレビ番組が完全に「輸出文化商品」になったことに気がついた。NHKをはじめ、地上波、BS、CSなど、とくに昼間の時間帯はテレビを付ければ必ずどこかのチャンネルで韓国ドラマが流れていた。2005年に日本企業のエンターテイメント部署のプロデューサーとして第二のキャリアを開始し、生々しいコンテンツ産業のど真ん中に身を置いた。

韓流ブームに乗った韓国コンテンツビジネスは、コンテンツの生産に限らず、展開のマネジメント、ファンコミュニティの運営、イベントの開催、日本拠点づくりに乗り出すなど、エンターテイメントビジネスとして進化していく。そして単にコンテンツを海外へ輸出するだけでなく、国境を超えた共同企画や制作投資なども増加した。

私の仕事も変化した。当初は、購入した韓国ドラマの日本ローカライズ版の制作が主な事業だったが、新作ドラマを先行紹介する番組から、出演者やロケ地、脚本家、監督などの裏話や制作秘話などを伝えるオリジナル番組まで、企画や制作を担当した。韓国社会に特有な兵役について、すでに入隊している有名人を密着取材したり、ある部隊の日常をレポートしたりするなど、韓国の兵役の全貌を映し出すドキュメンタリー番組を制作し好評を博したこともあった。韓国ドラマだけでなく、バラエティー番組や授賞式、フェスティバルなどの隠れたコンテンツを発掘し、日本で放送できるよう交渉したことも忘れられない。また日韓合同番組という夢が実現し、日韓のテレビ局でそれぞれの文化やエンタメを紹介できたことは、私にとって一生の宝物である。

このようなコンテンツビジネスの現場から得られた経験を活かし、直近では韓国の文化政策を実行する韓国コンテンツ振興院の日本代表を務め、世界に通用するコンテンツを生み出すために国策がどのような効果を及ぼすのかを検証してきた。

韓国のコンテンツのすべてが順調だとは言えない。文化、習慣、法律、倫理、ニーズなどが異なる日本市場を理解せず、数字のみを追いかけてもうまくいかない。日本におけるコンテンツビジネスの現場の当事者として、また日本と韓国の間で人的および産業的交流を目指す者として、次世代のグローバルなコンテンツ制作や展開を担う方々へこれまでの知見を伝えるために本書の筆を執った。

本書の目的は、韓国コンテンツのサクセスストーリーを語ることではない。日本と韓国の間で、コンテンツを通じた産（企業）・学（教育）・官（文化政策）の現場での取り組みや、グローバル展開のための挑戦をリアルに取り上げ実情を紹介していく。他の業界関係者と一致しない見解もあるかもしれないが、本書がこれから先も世界に豊かなエンターテイメントにあふれた日常を築くための、新しいコンテンツ制作の一助になることを願っている。

本書の構成

本書では韓国のコンテンツを、主にコンテンツ産業界、人材育成を担う教育界、そして文化政策の三つの観点から紹介していく。

第1章では、韓流ドラマブームをきっかけに映像、とくにテレビ番組が日本のコンテンツ産業の中でいかに展開され、新たな価値と経済効果が生み出されたのかを紹介する。

第2章では、韓国国内でのメディア市場の変化の渦中における映像産業界、とくにドラマ制作の取り組みについて述べる。テレビ離れによる広告費と制作費の減少が負のスパイラルのように押し寄せるなかで、大胆な取り組みが行われていた。

第3章では、ドラマを中心とした韓国コンテンツが、K－POPへシフトした大転換を振り返る。「聴く音楽」から「観る音楽」「共感する音楽」へ、世界の音楽シーンを一変させた底力はなにか。

第4章では、脚光を浴びている韓国のデジタル漫画、ウェブトゥーンを紹介する。レッドオーシャンと言われていた日本の漫画市場に仕掛けた戦略はなにか。ドラマ、K－POPに続くグローバルコンテンツとして、活発な海外展開が仕込まれている実態を伝える。

第5章では、韓国のエンタメ業界における人材育成にフォーカスし、戦略的なクリエイター育成を目指す韓国独自の教育機関の実態を紹介する。

第6章では、グローバルなコンテンツビジネスの基盤になった韓国の文化政策を伝える。適材適所に届ける文化政策、現場が必要とする政策、半歩先の文化を導き出すための政策、政策のあるべき姿について考えてみたい。

第7章は、韓国コンテンツをグローバルに展開してきたキーパーソンへのインタビューで構成されている。ドラマ、映画、ウェブトゥーン、K－POPなど、多様なジャンルで飛躍している彼らが制作過程で大事にしていること、グローバルコンテンツづくりに欠かせないもの、時代が求めるクリエイティブ性を問う。

最後の第8章では、日本と韓国、両国が抱えているコンテンツ市場の課題について語る。アジアエンタメ時代の幕開けを目指して、日本と韓国の未来志向の産業交流とはなにか。

本書を通じて、読者の皆様が自分にとって必要なグローバルコンテンツづくりのヒントを見つけ出し、それぞれの道を歩んでいく手助けになれればと願っている。

目次

第2章 韓国ドラマの急成長と奮闘 37

第3章　K-POP、ドラマを超える影響力　61

第4章　ドラマ、K-POPの次はなぜウェブトゥーンなのか　81

第1章 韓流がもたらしたモノとコト

制作者からビジネスマンへ

テレビ番組制作において、作り手が気にするのはまず視聴率だ。とくにドラマは、非ドラマジャンルと比べて一本あたりの制作費は桁違いで、視聴率がすべてだと言われている。受信料、あるいは広告費で制作費を賄うテレビ局にとって、視聴率はなにより重要な指標となる。私が1997年から働き始めた韓国の公共放送局の教養番組の現場もその例に漏れず、高視聴率を制作目標とし、収集の難しい貴重な情報を他局に先がけて発信できるように企画を立てていた。よい番組制作とは、なるべく安い制作費で高い価値を創出すること。その価値を代弁するのが視聴率だった。

2002年に来日し、コンテンツプロデューサーになってからは、制作した番組の価値は国内の視聴率だけではないことに気がついた。高い視聴率を得た番組は韓国国内では十分に評価を得られるが、同時にそれが他国へ輸出されても視聴率やお金を稼げるものなのか、グローバルな視点で商品としての価値が求められる。そこでは安く仕入れて高く売るような一般的な経済システムから離れて、コンテンツという特殊な商品を扱っていることを意識して考える必要があった。無形である想像を映像、セリフ、音楽、演技などのツールを駆使して有形にしたものがコンテンツだ。消耗品ではなく、無限の物語が潜在されている創造力の固まり。それが次々と新たな価値に生まれ変わる。ここでいう新しい価値とは、IP（知的財産）の活用を想定している。ドラマからアニメーション、小説から映画、映画からテーマパーク、漫画からモバイルゲームなど、形が変わっても世界観と物語性は生き続ける。それがコンテンツ特有の価値の創出である。

文化は海外輸出品になる

1998年2月25日、第15代大統領に就任した金大中（キム・デジュン）氏は就任演説で「文化は文化産業を興（おこ）し膨大な高付加価値を創出する21世紀の重要な基幹産業」と語った。未来の基幹産業として「文化」を挙げ、他産業と同じように収益構造を生み出すためのグローバル化を目指し、高い文化的価値を継承し発展すべきことを強調した。

「収益構造を生み出すためのグローバル化」とは、要するに商品として文化を海外へ輸出することだ。ドラマ、映画、音楽、アニメーション、漫画など、エンタメコンテンツを商品として世界へ売り込む。スタートを切ったのは韓国ドラマ『冬のソナタ』だった。実は『冬のソナタ』がヒットする前から日本でも韓国ドラマや韓国映画はビデオソフトとしてレンタル店などで流通していたが、数は少なかった。しかしＮＨＫというブランド力とテレビというマスメディアの影響力で、『冬のソナタ』以降は次々と日本国内で韓国ドラマが放映され、その勢いは今に続いている。

韓国の文化体育観光部と韓国コンテンツ振興院が発表しているコンテンツ産業統計調査によると、2020年の韓国コンテンツの売上高は128・2兆ウォンで2019年の126・7兆ウォンを1・2％上回る（表1－1）。2020年は新型コロナウイルス感染症の行動制限によって主に音楽、映画、アニメは大幅に減少したが、漫画、ゲーム、放送は増加し、全体として年平均4・9％の増加率となった。

輸出入に注目すると、2020年の韓国コンテンツの輸出額は119・2億ドルで、輸入額の9・2億ドルと比べて10倍以上の開きがある（表

	2017	2018	2019	2020	割合	前年比増減率	年平均増減率
出版	20,755,334	20,953,772	21,341,176	21,648,849	16.9	1.4	1.0
漫画	1,082,228	1,178,613	1,337,248	1,534,444	1.2	14.7	12.0
音楽	5,804,307	6,097,913	6,811,818	6,064,748	4.7	−11.0	3.4
映画	5,494,670	5,889,832	6,432,393	2,987,075	2.3	−53.6	−13.2
ゲーム	13,142,272	14,290,224	15,575,034	18,885,484	14.7	21.3	14.7
アニメーション	665,462	629,257	640,580	553,290	0.4	−13.6	−4.9
放送	18,043,595	19,762,210	20,843,012	21,964,722	17.1	5.4	6.1
広告	16,413,340	17,211,863	18,133,845	17,421,750	13.6	−3.9	2.5
キャラクター	11,922,329	12,207,043	12,566,885	12,218,076	9.5	−2.8	2.5
知識情報	15,041,370	16,290,992	17,669,282	19,373,367	15.1	9.6	9.5
コンテンツソリューション	4,851,561	5,094,916	5,360,990	5,635,230	4.4	5.1	5.3
全体	113,216,468	119,606,635	126,712,264	128,287,034	100.0	1.2	4.9

表 1-1　韓国コンテンツ売上高　（単位：百万ウォン、％）
出典：文化体育観光部（2021）2020 年基準コンテンツ産業統計調査

1－2）。輸出額の半分以上を占めるのがゲームで、次はキャラクター、放送、知識情報、音楽の順となる。

日本は中国の次となる第2位の輸出相手国で、ゲームが輸出の半数を占めている。また音楽は、毎年最高輸出額を更新している。

韓国コンテンツの隆盛を分析するために最も重要なことは、この表では表せていないビジネスモデルの多様な変化と成長にある。映像業界においては、放送権・パッケージ権・インターネット配信権、この三つをまとめたオールライツを譲渡するビジネスモデルが、かつては一般的であった。しかし現在では、番組フォーマット・リメイク権、商品化権、海外販売、事前投資、共同企画・制作など、映像権利がより細分化されている。また、PPL（Product Placement）の間接広告や、OST（Original Sound Track）の音楽コンテンツ展開、360度ビジネス（映画、ミュージカル、オーディオ

	輸 出	輸 入	差 額
出 版	345,960	254,371	91,589
漫 画	62,715	6,493	56,222
音 楽	679,633	12,146	667,487
映 画	54,157	28,330	25,827
ゲーム	8,193,562	270,794	7,922,768
アニメーション	134,532	7,791	126,741
放 送	692,790	60,969	631,821
広 告	119,935	98,672	21,263
キャラクター	715,816	158,420	557,396
知識情報	691,987	9,467	682,520
コンテンツソリューション	233,196	13,369	219,827
全 体	11,924,284	920,822	11,003,462

表 1-2　2020 年韓国コンテンツの輸出入　（単位：千ドル）
出典：文化体育観光部（2021）2020 年基準コンテンツ産業統計調査

ドラマ、デジタル漫画など）の異業種コラボなど、ビジネスの領域はますます広がりを見せている。また最初はドラマを中心とした映像コンテンツが主流であったが、Ｋ－ＰＯＰが本格的に日本進出を始めてからは、最も成長したビジネス領域となった。毎年公開される日本の音楽ライブ市場の統計を見ると、Ｋ－ＰＯＰアーティストが欠かせないほど大きい影響を与えている。

売れるモノ、売れないモノ、売ってみたいモノ

ここでは韓国コンテンツ、とくにドラマなどの映像を扱うバイヤーであった私の立場から、日本におけるヒットの条件を考察していく。

人間は「限定」「初」「プレミアム」の言葉に強く惹かれる。「期間限定」「ファン限定」「初売り」「日本初」「プレミアム付き」「プレミアムキャンペーン」などなど。

日本でヒットした韓国ドラマや映画の注目の集め方は、今も昔も変わらない。初放送や初公開へのこだわり、ここでしか観られない番組、このような打ち出しは強烈に響く。グローバル配信サービスNetflix（ネットフリックス）のオリジナル作品と同じだ。有料チャンネルのプラットフォームは顧客の新規獲得が利益に直結するため、「日本初」「ここでしか観られない」という

キャッチフレーズを使えるコンテンツがヒットを生む条件の一つと言える。

「売れるモノ」のもう一つの条件は、作品に携わった俳優や制作スタッフ(主に監督と脚本家)の知名度だ。視聴者は当然ながら知っている俳優や監督、制作チームが関わる作品を選ぶことが多い。スタッフの豪華さに頼らずストーリーだけで勝負するのは、どこの国でも国内向けがせいぜいだろう。海外に輸出する際にはコンテンツの再編集が行われ、進出先のニーズや嗜好(しこう)に合わせてタイトル、キャッチコピー、ビジュアル、字幕などが新たに作り直される。そこでは、プロモーション的には有名な作品を作り出したスタッフ、現地で認知度が高い俳優などが大きな広報パワーを持つ。受賞作品や韓国で高視聴率を得たものに目をつけることは必然となってくる。

一方、過去には「売れないモノ」もあった。その一つが1話完結の短編ドラマだった。日本でチャンネル加入者と視聴率を維持するためには、連続ドラマが求められた。その月に放映が始まって当月に終わるものより、最低3ヶ月〜半年の放映が担保される作品が購入の基本であった。次の作品の購入に反映するために加入者の反応をデータとして観測するためにも、一定の放送期間がある作品のほうが選びやすい。キャストやスタッフの知名度よりも、連続シリーズものであることが優先される。

この「売れないモノ」＝短編ドラマを「売れるモノ」にできたこともあった。バラバラの短編ドラマを俳優やテーマごとに集めて商品化したのだ。日本の刑事ドラマ、医学ドラマなどのジャンルドラマのようにシーズン制の作品づくりがあまり多くなかった韓国ドラマは、このような短編ドラマのパッケージ販売が海外で受けがよかった。

「売ってみたいモノ」を売る挑戦として、非ドラマジャンルの商品化に取り組んだこともあった。芸能情報番組がその一つだ。韓国国内の芸能ニュースに特化した芸能情報番組は、放送局でのレギュラー番組として作られる。しかし、レギュラー番組を丸ごと購入するにはリスクがあった。著作権の処理が複雑で、多様な情報が報道されるなかで日本のニーズに応じたネタは少ない。話し合いの末、フッテージ購入をすることにした。フッテージとは、動画や静止画などの「素材」のことを指す。毎月韓国で放映された番組を観て、必要なニュースのみピックアップし売ることにしたのだ。日本でなかなか韓国の芸能情報番組を観ることがなかった時代、視聴者の反応もよかった。

もう一つは、ドラマのメイキング映像。ドラマ本編を観た視聴者は必ず興味を持つ映像で、韓国のドラマ撮影現場では常に撮りためていた。これを商品化したいと言われたことがあるが、収録した映像素材が多すぎて構成・編集コストが高くなってしまう。構成から編集、字幕、音声、デザインなどの映像編集プロセスがすべて必要となるため、取り扱いは厳しいと判断した。結局、ＤＶＤパッケージの特別映像として仮編集したものを提供し、商品化につながった。

買いたいモノ、買えるモノ、買ってみたいモノ

韓流ブームのおかげで韓国ドラマの争奪戦が日々激化し、日本で取引されるドラマの購入金額はますます高くなっていった。日本初、華麗なるスター群の出演、知名度が高い監督や脚本家の新作など、高騰（こうとう）し続けるドラマ価格に対して日本のバイヤーたちは工夫をしなければならない時期がやってきた。そのなかでヒントになったのが、日本の昼ドラだった。

日本のテレビドラマの歴史に欠かせないのが「昼ドラ」である。平日の主に12時あるいは13時台に放送する主婦層をターゲットとしたテレビドラマだ。その時間にリアルタイムで視聴できる中高年の主婦のニーズに合わせたドラマが多く、ランニングタイムも30分程度と短く、月曜から金曜までの帯編成が主流となる。２０１５年前後で多くの放送局が打ち切った昼ドラだが、その視聴層は韓国ドラマのファンと重なるものだ。

既存の昼ドラのファンを巻き込むことによって、新たな市場拡大とともに、韓国ドラマの見方を俳優からストーリーへ変化させることができると考えた。昼ドラのファン層が好むテーマなどを分析した上で、成人向けネット動画のユーザー動向、録画とリアルの視聴データなどに基づいて編成を決め、購入したのがドラマ『シークレット・ルーム 栄華館の艶女（おんな）たち』。女性が主人公、かつ邪魔のない一人の時間を楽しみたい大人向けのエロティックな物語で、さらに朝鮮王朝時代を背景にした時代劇という昼ドラファンの好みにぴったり合う作品だった。朝鮮王朝（李氏朝鮮）時代の妓房（キバン）（朝鮮版遊廓（ゆうかく））の栄華館には絶世の美女の妓生（キーセン）たちが集い、漢方医学や房中術に長（た）けた彼女たちが性の悩みを持つ人々を治療していくストーリー。予想通りに反応がよく、シリーズ2まで購入した。

さらに、ハイビジョン放送がチャンスを与えてくれた。２００８年10月、ハイビジョン放送を始めた衛星放送の有料プラットフォーム「スカパー！」は、高画質を全面的にアピールした。各チャンネルもそれに応じたコンテンツを打ち出し、プラットフォーム加入の促進に貢献していかなければならない。海外の映像で高画質のものは当時それほど多くなく、Blu-rayやＤＶＤで販売されたドラマボックスも高額のため売れ筋ではなかった。そこで考えたのが、旧作をハイビジョンで新たに楽しむ、それもBlu-rayやＤＶＤの10分の1

の価格という企画だった。歴史に関心の高い日本人の老若男女が楽しめるジャンルが韓国時代劇だというファンの声を思い出し、全81話の長編時代劇『朱蒙（チュモン） Prince of the Legend』を高画質で安くハイビジョンで提供した。プラットフォームの加入促進と満足度を高めるには大当たりの戦略だった。

ところで韓国のコンテンツビジネスの現場では、売ろうとするモノと買おうとするモノがすれ違うこともしばしばあった。日本は「コンテンツビジネス＝著作権ビジネス」という意識が強い。ドラマのなかでたまたまテレビに映し出されたあるバラエティー番組に対して「権利処理は済んだのか」「ＢＧＭとして流れた歌手の歌に対して許可を得られたのか」など、当たり前のことだが気づいていなかったことが当時は多かった。買ってみたい映像があっても著作権処理が進まず、契約まで至らないことは一度ならずあった。

そのなかで、喉（のど）から手が出るほどほしいコンテンツがあった。それが軍隊関連の映像だった。韓国の徴兵制度について、徴兵制度が無い日本では関心が高い。芸能人も必ず入隊するため、その2年間の空白はファンにとってもつらい時期だ。かつて韓国では放送局のバラエティー番組として、全国の軍部隊を訪問し兵士たちの日常生活を追いかけたり、慰問公演を行ったりして、普段は見られない兵士の姿を紹介する番組があった。慰問公演には歌手や芸能人が参加し、兵士ののど自慢大会や家族との面会が映されるなど、感動と娯楽がうまく構成されていた。韓国の文化に興味を持つ人々の間で話題づくりができると判断し、購入を進めた。

しかし結果は「売れないモノ」だと分かった。制作した放送局の担当からは、兵士を慰問する意図で企画され、韓国国防部の協力の元に制作されたものであり、海外での放映と商品販売の対象外と言われたのだ。他局でも軍隊を紹介するバラエティー番組はあったが、番組購入の問い合わせをしても無駄であった。

買えなかったらオリジナルなものを作ろう

時代劇からラブコメまで、様々なジャンルのドラマやバラエティー番組を仕入れて満足度を高めたとしても、すべてのニーズに応(こた)えられるわけではない。韓国ドラマのファンは俳優への愛情が強く、公式ファンクラブなどのファンコミュニティに入る傾向があった。そのなかで、好きな俳優が徴兵制度に従って約2年間芸能活動が中止されることに疑問を持つとともに、悲しみを感じていた。日本を含めアジアで大人気だった『宮(クン) Love in Palace』や、日本でもリメイクされたドラマ『魔王』で主役だったチュ・ジフン。2010年には、彼が入隊することを多くのメディアが取り上げた。韓国ドラマの「四季シリーズ」の一つ、『夏の香り』の主役だったソン・スンホンが腎臓疾患を装って兵役逃れをしたことは、韓国国内だけではなくアジアでも話題となった。ファンの間では「なぜ韓国の男性は2年間の徴兵義務があるのか」「入隊してなにをするのか」「社会から離れてどんな思いをするのか」など、様々な声があった。

「買えないモノがあれば、作ればいい」という思いが頭をよぎった。日本と韓国は文化や食など似ているものも多くあるが、徹底的に違うことを取り上げるとすればやはり軍隊義務制度だ。そしていちばん活動が活発になるはずの20代に、アーティストやアイドルもその義務を果たさなければならない。休戦中とはいえ空白の2年間に対して理解がほぼなかったファンおよび視聴者に、その実態を伝えようと決めた。

そこで企画したのが2010年3月、スカパー！のアジアドラマチックTVにて放送した『若き韓国兵士の素顔』の3部作だ。芸能人も入隊すると一般人と同じように訓練を受け国防の義務を果たすのか。その疑問から、韓国の国防部が運営する国防テレビで制作スタッフとして活動する韓流スター兵士を追いかけたのが、第1部『韓流スターの2年間』である。韓国では芸能人でも一般人でも、入隊すると「国の身」になり国防部が決めた兵役任務をこなす。撮影当時、多くの韓流スターが国防テレビの広報任務に就いており、軍服を着たスターの様子を見られることが話題を呼んだ。第2部は、入隊して部隊に配置される前の5週間の訓練所の生活を追った『特訓ブートキャンプ』。第3部『守れ!38度線』では、38度線に近い部隊を訪れて密着取材を行った。日刊紙を含め数多くのメディアで取り上げられ、地上波テレビからは素材提供の相談を受けた。そして「日本ケーブルテレビ大賞2010」の番組コンクール、サプライヤー部門で優秀賞を受賞した。反響もよく、翌年はスカパー!の協力で『独占!知られざる韓流スターの軍隊密着』の4部作を企画・制作し、衛星放送協会やスカパー!アワードなどにノミネートされた。このように軍隊というテーマは、日本現地のニーズに合わせて打ち出した最適のコンテンツである。オリジナルの強みと新たな韓流を届けること、それが企画に問われている。

韓流によるコンテンツビジネスの変遷

韓流が与えた影響はビジネスに限らない。とくに日本と韓国の交流という視座から見ると、素晴らしい起点になったことは間違いない。「日本における韓流」と「韓流における日本」、この二つが多様な産業の成長につながってきたことは明らかだ。両国間は歴史・政治・外交など重い課題を背負っているのも事実だが、それとは関係なく日本のアニメーションが大好き、K－POPが大好きと堂々と口にする若者たちの姿には、未来志向な両国の現状が表れている。

メディアの変化、コンテンツの輸出入、そこから派生した多種多様なビジネスとファン層の拡大など、振り返ってみると両国は20年間、常に文化的・産業的に深い交流を続けてきた。これからも試行と挑戦、成功と失敗を繰り返しながら、両国の交流とコンテンツビジネスの拡大が続いていくことを願っている。

年 度	2002	2003	2006~	2007~	2012~	2017~	2020~
	韓流の 黎明	第1次 韓流		第2次 韓流	韓流 低迷期	第3次 韓流	第4次 韓流
コンテンツ	テレビ朝日 「イヴの すべて」	NHK 「冬の ソナタ」	韓流 コンテンツ けん制 I	東方神起 少女時代 KARA BIGBANG	韓流 コンテンツ けん制 II	TWICE BTS	「パラサイト」 「愛の不時着」 「梨泰院クラス」 「82年生まれ、キム・ジヨン」 「Beyond LiVE」 「BANGBANG CON」 NiziU
メディア	放 送	放 送		ライブ 放 送	BS放送	ライブ インターネット SNS	インターネット OTT ライブストリーミング アプリケーション
ジャンル	ドラマ	ドラマ		音 楽	音 楽	音楽 消費財 コミュニティ	ドラマ 音 楽 出 版 WEBTOON
連関産業		DVD 雑 誌		CD/DVD 雑 誌 食料品		化粧品 ファッション 旅 行	コリアタウン商 圏 eコマース
ファン	ドラマ 俳 優	ドラマ 俳 優		ドラマ K-POP	ドラマ 俳 優 K-POP	K-POP 韓国発のモノ	ドラマ K-POP
年 齢	F3	F3		F2, F3	F2, F3	T (JS, JK, JC) F2,F3	T (JS, JC, JK, JD) F1, F2, F3 M1, M2, M3
ファンダム		ドラマプロモーション イベント ファンミーティング		食文化 ファンクラブ		ハングル ファッション ライフスタイル シェアカルチャー	コミュニティ 仲間意識 ファミリーカルチャー

表 1-3　日本における韓流とコンテンツビジネスの変遷

出典：黄仙惠共著『日韓関係のあるべき姿ー垂直関係から水平関係へ』（明石書店、2022年、144ページ）

第2章

韓国ドラマの急成長と奮闘

韓国ドラマ1・0　韓流が変えた韓国ドラマ、輸出を意識したものづくり

日本での韓流の火付け役となったドラマ『冬のソナタ』。もし『冬のソナタ』が日本のテレビでは放映されず、従来の韓国ドラマのようにレンタル店に並ぶ作品の一つだったら、ここまでの韓流ブームは起きなかったかもしれない。

韓国のドラマ制作会社であるドレミエンタテインメントのキム・ウノ氏はこう語った。[*1]

「『冬のソナタ』は、総制作費30億ウォンに対して、海外収益のみで290億ウォンの利益を生み出した。（中略）ドラマ制作会社のPANエンタテインメントは、日本やアジアの各地域で媒体別に契約を進めた。その結果、放映権、ビデオオンデマンド（VOD）、オンラインストリーミング、出版、グッズ、さらに公演や音源、アニメーションのライセンス契約を行うことで、IPの活用とそれによる多様なビジネス展開を経験した」

海外進出により、放送権の販売にとどまらず、DVD、出版、グッズ、イベントなどのドラマから派生した商品の著作権料が収益になり、ドラマの挿入曲であるOST（Original Sound Track）までが売り上げに貢献することを実感したようだ。

＊1　韓国ドラマ制作社協会主催、2021放送映像コンテンツ産業セミナー「OTT時代、ドラマ制作社の悩みと挑戦：OTT市場の展望と制作社の役割」（2021・6・8）の発表内容を参考。

『冬のソナタ』以後、日本を含め海外での韓国ドラマの需要が高まったことによってドラマの制作会社は、企画・制作の段階で、放送局の編成確約とともに海外のメディアおよび流通会社を対象に先行販売を行った。さらに海外で多角的にドラマをIPとして活用できるような権利獲得、および放送局との調整を進めた。韓国国内の編成を控えた段階から海外での幅広い展開を前提とし、現地の需要に合わせてIPビジネスを展開できるようなドラマづくりが必要であることを認識したのだ。

ヒット作品はどうすれば作り出せるのか。とくに、日本の市場で成功するためにはなにが必要なのだろうか。その答えは、人気韓流スターが出演し有名監督と人気作家が手がけた作品だと言えるかもしれないが、それだけでは必ずしも成功しないことが、エンタメ産業が一筋縄でいかない部分だ。

韓国のドラマ制作会社にとって一歩目の前進となったのは、「ジャンル」を意識することだった。ヒントになったのは、やはり『冬のソナタ』だ。日本では2003年NHK BS2での初回・再放送を経て、一年後の2004年からNHK総合にて放映された。NHK総合での最終話は20%を超える高視聴率に達する。NHKは『冬のソナタ』の後続作品として韓国ドラマ『美しき日々』と『オールイン 運命の愛』を放映し、初恋という純愛を切なく描いた「メロドラマ」の編成を続けた。それらのメロドラマは一定の好評を得たが、一方でもう飽きたというファンの声も届き始めた。

ドラマ制作会社が次に目を付けたのが「ラブコメ」である。とくに日本では、『ガラスの仮面』や『キャンディ・キャンディ』など、恋愛要素のある少女漫画の人気が70・80年代に高まっていた。当時それらの読者だった層は、ちょうど韓国ドラマのファン層と重なる。ラブストーリーと並んでラブコメの韓国ドラマが続々と輸出された結果、韓国ドラマ離れを防ぎ、韓国ドラマの定番ジャンルとして定着させることができた。代表作品は、『フルハウス』『私の名前はキム・サムスン』『宮 Love in Palace』である。

一方で中年女性を中心とした韓国ドラマのファン層を、老若男女を問わず幅広い層に広げていくことも課題だった。そこで注目されたのが「時代劇」だ。ＮＨＫは『冬のソナタ』と同時に、韓国の時代劇ドラマを放送する。全54話の長編ドラマ『宮廷女官チャングムの誓い』は２００４年にはＮＨＫ ＢＳ2で、２００５年からは約1年間ＮＨＫ総合で放送された。朝鮮王朝時代の宮女が懸命に時代を生き抜こうとする物語性や、華やかな宮廷料理、権力闘争、漢方の医術、友情に恋愛など、多様なファン層を引き込む要素が盛り沢山の作品だ。ＮＨＫの大河ドラマは日本国民から高い支持を得ており、毎年の新作発表では日本全体から関心を集めていることを知って、韓国も時代劇ドラマづくりに力を注いでいった。朝鮮王朝時代に実在したとされる妓生（キーセン）の生涯を綴（つづ）った時代劇『ファン・ジニ』、ファンタジーと時代劇の融合が見どころ満載だった『太王四神記』など、韓国の歴史や伝統文化などを華麗に映像化した作品群だ。

また刑事（警察）ものや医療ものなど、特化したジャンルのドラマの人気が日本では根強いことから、『復活』『魔王』のような復讐劇やアクション要素を取り入れた演出が見どころの作品も作り始めた。代表的なドラマは『ＩＲＩＳ　アイリス』で、ＴＢＳの夜9時「水曜劇場」の枠で放映され、初めて韓国ドラマが日本の地上波のゴールデンタイムに編成されたことで注目を浴びた。

このような努力と挑戦は、今も続いている。

２０２１年、全世界を対象にNetflixにていちばん視聴された非英語圏のコンテンツは、1位が『イカゲーム』、4位が『今、私たちの学校は…』だった。デスゲームとノスタルジックな子どもの遊戯の世界をミックスした『イカゲーム』。世界的に認知されたジャンルであるゾンビものとリアルな韓国の高校生活をミックスし新たな共感を呼び起こした『今、私たちの学校は…』。他にも、１９８８年のソウル市、双門洞（サンムンドン）を背景に5人の友人とその家族たちの逸話を描いた心温まるコメディ『恋のスケッチ 応答せよ1988』。韓国上流社会の教育熱と学歴至上主義の世界を鮮烈に描写する『SKYキャッスル 上流階級の妻たち』。1999年医大入学同期の主人公たちが病院内で繰り広げる感動ストーリーとともに、最後に俳優たちがバンド演奏する演出が光る『賢い医師生活』。このように、近年では韓国ドラマのジャンルは多様に拡大されている。ジャンルが多様化し様々なニーズにアプローチできる作品が出揃うことは、海外進出の多角化に直結する。ミュージカル、ロマンスファンタジー、2D・3Dキャラクターと実写の融合など、ジャンルの進化に合わせてテクノロジーの発展も目覚ましい。

もう一つの重要な要素は、「ロケ地」である。

ドラマ制作会社は、ドラマから派生する付加価値をより増やすために、ストーリーの世界観に合うロケ地選びに気を遣った。地域との連携によって制作コストを減らすことも重要な目的であったが、主な目的はロケ地を観光する聖地巡礼という新たなビジネスを生むことだ。主な成功事例は『冬のソナタ』の南怡島（ナミソム）、『宮廷女官チャングムの誓い』と『オールイン 運命の愛』の済州島（チェジュド）である。

聖地巡礼の成功例が出ることによって、企画・制作の段階からドラマと観光を結びつけて作品の世界観をより引き立てることが今ではドラマ制作の前提となっている。観光地化を狙う場所をドラマのなかで登場人物が自然に訪ねるような設定やストーリーテリングが、積極的に試みられた。時代劇の野外セットは撮影が終わったらテーマパークとなり、ドラマのなかで出てきた地方の食事はレシピ本として出版され、ドラマの主人公のイメージを使用したお土産まで用意するなど、ドラマの付加価値をいかに活用していくのかについても海外市場を意識したつくりとなった。ドラマ『ＩＲＩＳ アイリス』は済州島と秋田県をロケ地とし、日本と韓国の両方のドラマファンと観光を結びつけた見事な成功例である。

第2の『冬のソナタ』を作り出す、テレビ局から制作会社の時代へ

『冬のソナタ』のヒットによりドラマが海外へ輸出できる資源であること、海外市場を前提とするべきコンテンツであることが強く認識され、韓国ドラマのビジネスの主体はテレビ局から制作会社へと移り変わっていく。２０００年代以前は、制作会社の収入はテレビ局から支払われる制作費が主だった。

韓国のハナ金融投資が発表した資料によると、韓国ドラマの収益は２０００年までは内需を中心とした国内の放映権とＰＰＬ（Product Placement）のような１次販売が占めてい

た。[*2] 編成権と流通ルートを持つ地上波テレビ局が、2次販売権を保有する形だ。収益の詳細を見ると、国内放映権が60～70％、PPLが10～20％、残りが二次利用の再放送とVODなどの売り上げだった。それに対して、ドラマの制作費は撮影費、俳優出演料、作家原稿料、CGなどの編集費、設備費などで、収入の90％以上に達する。総収入から制作費を除くと利益は10％未満。その利益のほとんどが2次販売であり、編成権を持つ放送局の分だった。

しかし2000年代に入ってからは、自身が収益の分配を受けるように制作会社が奮闘した。第一に、本放送が放映される放送局から得られる1次収益。第二に、ドラマが終了後の国内外の版権販売による2次収益。第三に、PPLと字幕告知による協賛収益。第四が、ワンソース・マルチユース（OSMU）収益。大きくこの4つに分けて、制作会社は企画段階で1次と2次収益の分配比率を放送局と調整する体制を取ったのだ。海外を意識しすぎた結果、大規模なビジネスを狙って豪華スターを出演させ、人気作家や監督を起用して巨額の制作費を費やし、最終的に収益を上げることができず赤字を出した作品もあっ

＊2　ＢＣＷＷ２０２１カンファランス「ベストアナリストの分析：変化したＯＴＴ時代による韓国ドラマの成長」（２０２１・９・７）の発表資料を参考。

た。しかし、放送局の下請けとしてドラマを作ってきた制作会社が、自身が権利を確保するビジネス感覚を身に付けたことは大きい成果だった。世界をターゲットにして高いクオリティの作品を作れば、国内の地上波テレビ局の制作費だけに依存することなく、海外市場のビジネスチャンスを摑むことができる。自社への投資を含め、海外パートナーとの協業によるビジネスの拡大を進めるように制作会社は動いていった。

「テレビ離れで広告収入が減っていくなかで、なぜ韓国はドラマ制作費を増やすことができたのか?」とよく聞かれるが、それは韓国のドラマ制作会社がクオリティ=国際競争力を高めるために、下請けからの脱却を実現してきた結果なのだ。

韓国ドラマ2・0　多チャンネル時代のドラマ大戦争とスタジオシステム

2011年、韓国国内のメディア産業で大きい出来事があった。「総合編成チャンネル」の誕生である。韓国を代表する保守系の大手新聞各社が新規設立したケーブルテレビ局である。ケーブルテレビや衛星放送、IPTV(インターネットのIP技術を利用してテレビ映像を配信するサービス)の送出網を通じて観ることができる。

韓国政府は、総合編成チャンネル使用事業者として中央日報、朝鮮日報、東亜日報、毎日経済新聞を選定した。そこから開局したのが、ＪＴＢＣ（中央日報）、チャンネルＡ（東亜日報）、ＴＶ ＣＨＯＳＵＮ（朝鮮日報）、ＭＢＮ（毎日経済新聞）の４つのチャンネルである。

チャンネル編成は地上波テレビとまったく同じだ。報道、教養、ドラマ、バラエティーなどあらゆるジャンルの番組編成が可能となる。チャンネルのカテゴリーに合わせた番組編成が80％以上を占めるケーブルテレビより柔軟だ。そして有料チャンネルとして扱い、日本のように番組のなかで広告を流すこともできる。さらに開局から2年間は事業者が直接広告を営業する特権も与えられた。

韓国の映像産業において総合編成チャンネルの登場は市場全体に大きな影響を与えたが、とくにドラマは重要収益源としてピークを迎えた。地上波テレビ（ＫＢＳ、ＭＢＣ、ＳＢＳ）と、ＣＪグループが運営するケーブルチャンネル（tvN、Mnet、ＯＣＮなど）、４つの総合編成チャンネルが加わりドラマの多作時代が到来する。２０１１年のドラマ制作本数は約80本、そのうち地上波テレビ（ＫＢＳ、ＭＢＣ、ＳＢＳ）が60本を占めたが、２０１２年には１００本近くにまで増えた。

また、地上波テレビの制作人材が総合編成チャンネルへスカウトされたことが大きな変化をもたらした。限られた地上波テレビの編成から離れて自由な制作環境を求めて転職し、そこで成功を続けて自らドラマ制作会社を設立した事例も少なくない。

それから10年以上が経った今、総合編成チャンネルの成果は明らかである。まず、ＪＴＢＣは『梨泰院クラス』『ＳＫＹキャッスル 上流階級の妻たち』『夫婦の世界』など、数多くのヒットドラマを作り出した。そして、制作スタジオのシステムを導入する。従来のドラマ制作は放送局から発注され、ドラマ制作会社は発注金額に合わせて制作、納品していた。作られたドラマは放送局が権利を持ち、主導的にビジネス展開する。一方、制作スタジオのシステムは、自ら企画・制作したドラマを放送局に販売し、権利を所有し、ビジネス展開を自由に行う形となる。そのシステムのもとで、『今、私たちの学校は…』『地獄が呼んでいる』など、ブロックバスター級の作品を次々と成功させた。２０２２年４月、ＪＴＢＣスタジオは社名をＳＬＬ（Studio LuluLala）と変更し、世界トップレベルのクリエイティブスタジオを目指すと宣言した。ＳＬＬ代表取締役チョン・ギョンムン氏はメディアのインタビューでこう語った。[*3]「２０２４年には2兆ウォン以上の売り上げ規模を目標と

＊3 関連記事 https://www.yna.co.kr/view/AKR20220419112200005?input=fb&fbclid=IwAR372GT7Qf-E92QsbSaDdnDmzyXmf2s_Intxo69oo4ljp4nRsT0PNOSnBuU

する。今後、グローバルトップティアー（Top-tier）の制作会社になりたい」。今後グローバル制作スタジオとして日本で法人を設立する計画だそうだ。日韓の共同制作をベースに中国、東南アジアなどへのグローバル展開と、IPビジネスの拡張を目指したものである。[*4]

業界では、コンテンツを成功させるためにこの三つの要素をよく取り上げる。言い換えると、「Luck＝タイミング」、「Production＝製造」、「Money＝収益」。好機に乗じて人気作品が黒字を生み出す、たしかに理想的な話である。しかし好機＝「タイミング」は一瞬ではなく、「製造力」によって継続的につながり続けると関係者たちは言う。

総合編成チャンネルが誕生したタイミングにより競争が激しくなるなかで、ドラマ制作の実力がますます求められるようになり、制作スタジオシステムなど、多様なビジネスを仕込める環境が作られ続けてきたことが今日の収益につながっている。

韓国ドラマ3・0　外国産ストリーミングサービス、「選択と集中」

韓国ではVODサービスなど、インターネットで番組を再視聴する習慣は昔から根づい

＊4　詳細は「韓国ドラマ4・0　制作スタジオ、プラットフォーム、新たなグローバルへの挑戦」を参考。

ていた。2002年に来日する前に私が韓国の放送局で働いていたときも、見逃した番組をインターネットで視聴できるサービスを提供していた。出演者や映像資料を提供してくれた権利元にVODサービスへの許諾を事前に確認することが担当した業務の一つだった。

インターネットでの視聴習慣が定着していた韓国では、2016年にNetflixが進出してきたあとも、日常の視聴環境の変化はそれほど感じなかった。自分が観たい番組や映画が、どのサービスでダウンロードやストリーミング視聴できるのかだけを気にしていた。

一方、Netflixの韓国上陸は映像制作会社に大きな衝撃を与えた。そのきっかけとなったのが、映画『オクジャ』である。世界的な巨匠として知られるポン・ジュノ監督が、2017年にNetflixオリジナル映画『オクジャ』を公開した。しかし、劇場公開と同時にネット配信を開始したことから、韓国の3大シネコン（CGV、ロッテシネマ、メガボックス）は上映を拒否した。ポン監督はメディアの取材に「シネコンの立場は理解できるもので、劇場産業の立場を主張するのは当然だ。Netflixはストリーミングサービスと同時に劇場公開する原則を掲げたが、これも理解する。Netflixは加入者から受け取った利用料で映画を作るので加入者の優先権を奪うことはできない」と話した。[*5]

*5 関連記事 https://sports.donga.com/3/all/20170614/84859003/2

その後、韓国ドラマが国内チャンネルで放映されたあと、Netflix の独占ドラマとして配信されるという流れが徐々に出来上がっていった。日本では韓国での放送の3ヶ月から半年後には日本のチャンネルで観ることができていたドラマは、この流れのなかで Netflix に加入するしか視聴する方法がなくなっている。海外でウィンドウ別に販売すればたくさん稼げることを経験した制作会社が、なぜ今までのビジネス構造を無視してこのような選択をしたのだろうか。

その理由は、チャンネル別ドラマ制作本数にヒントがあった。韓国のインベスト投資証券リサーチセンターの調査によると、2018年と2019年、100本を超えるほどのドラマが大量に制作され、編成された。[*6] CJグループの制作スタジオとJTBCの制作スタジオが作ったドラマが一気に増えたことが大きいが、増加の要因には非地上波テレビの編成枠が増えたこととNetflix の戦略があった。

Netflix はアジア市場を攻略するために、加入促進につながるキラーコンテンツを必要とした。南米市場への進出を目的として制作された『ナルコス』がグローバルで成功し、その後に南米オリジナルコンテンツへの投資が本格的に行われた流れと同じだ。アジア市場

＊6 関連記事 https://blog.naver.com/namgh1992/222490177106

を広げるために、アジアで人気のある韓国ドラマで攻める。韓国のドラマ制作会社は、地上波テレビに依存せず、十分な制作費の下で自由に制作できることが約束された。そのスタートを切った作品が、２０１８年に公開された朝鮮王朝時代のゾンビを描いた『キングダム』。韓国国内のテレビ編成をせず、初のNetflixオリジナルドラマとしてサービスを行い、全世界のランキング2位を獲得した。費用対効果が高い韓国ドラマに対し、Netflixは複数のドラマ制作会社と年間契約を行い、２０２１年には約５５００億ウォンを投資することを明らかにした。

これにより、ドラマ制作会社のビジネス展開はどのように変化していくのか。従来型の編成権を持つ地上波テレビの放送局が、単純にNetflixなどのグローバルな配信サービスプラットフォームに置き換わっていくのだろうか。

答えは、ビジネスモデルの多様化にある。ドラマ制作会社は、「選択」と「集中」を徹底的に収益モデルに取り入れる。企画段階で、放送局の編成の可否、Netflixなどのグローバル配信サービスの可否、さらに中国産の配信サービスの可否を決める（図2－1）。それによって収益モデルが変わってくる。制作費からの利益率ではなく、売上総利益からの収益率、レベニューシェアなど、多様なビジネスモデルが作られる。それによって著作権保有の可否も決まり、オーディオドラマやリメイクなど多様な展開と収益構造を検討する。

世界第2のコンテンツ市場規模、中国へのシフト

ヒューマンメディアが毎年発刊する「日本と世界のメディア×コンテンツ市場データベース2022 Vol.15【速報版】」によると、2020年の各国・地域のコンテンツ市場の規模と前年からの増減は、1位米国と3位日本は微減、2位の中国のみが5・88％拡大、4位ドイツが横ばい、他のほとんどの国・地域は減少したと発表した。

コンテンツ市場の世界2位を占める中国。韓国にとっては第1の輸出先である。韓国の文化体育観光部と韓国コンテンツ振興院が発表しているコンテンツ産業統計調査によると、2020年売上高は12

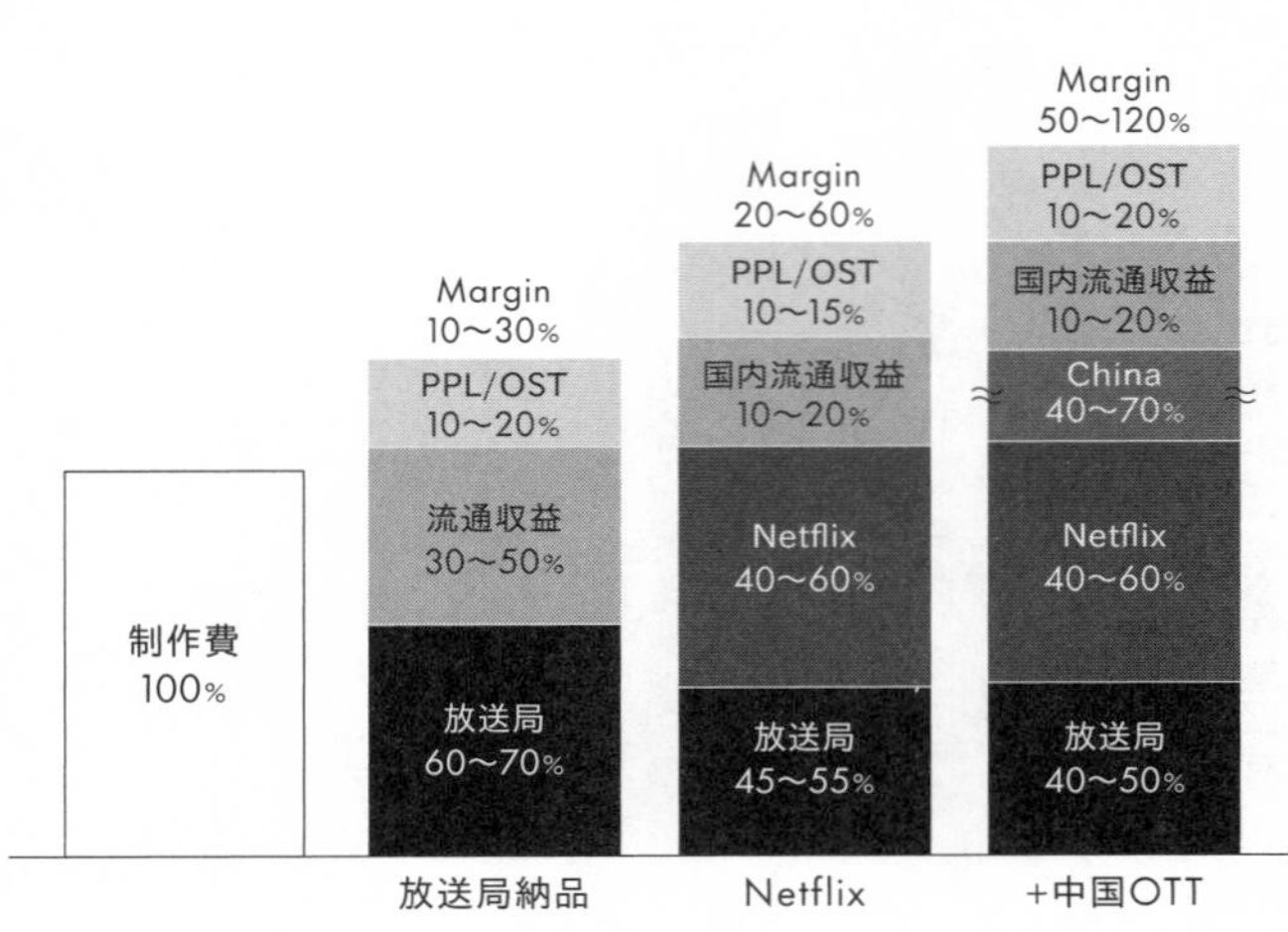

図 2-1　韓国ドラマ制作の収益構造
出典：韓国投資証券

8・2兆ウォンで2019年の126・7兆ウォンを1・2%上回る。[*7] 2020年は新型コロナウイルス感染症による行動制限によって、主に音楽、映画、アニメーションのジャンルは大幅に減少した一方、漫画、ゲーム、放送は増加し、全体として年平均4・9%の増加率を占める。そのなかで、韓国コンテンツ輸出入はどのようなものだろうか。2020年韓国コンテンツの輸出額119・2億ドルに比べ、輸入額は9・2億ドル、10倍以上の開きがある。2014年までは輸出先の第1位は日本だったが、2015年から中国が逆転し、2017、2018、2019年は日本の2倍前後にまで増加した（図2－2）。

＊7　文化体育観光部（2021）「2020年基準コンテンツ産業統計調査」https://www.mcst.go.kr/kor/s_policy/dept/deptList.jsp?pType=04

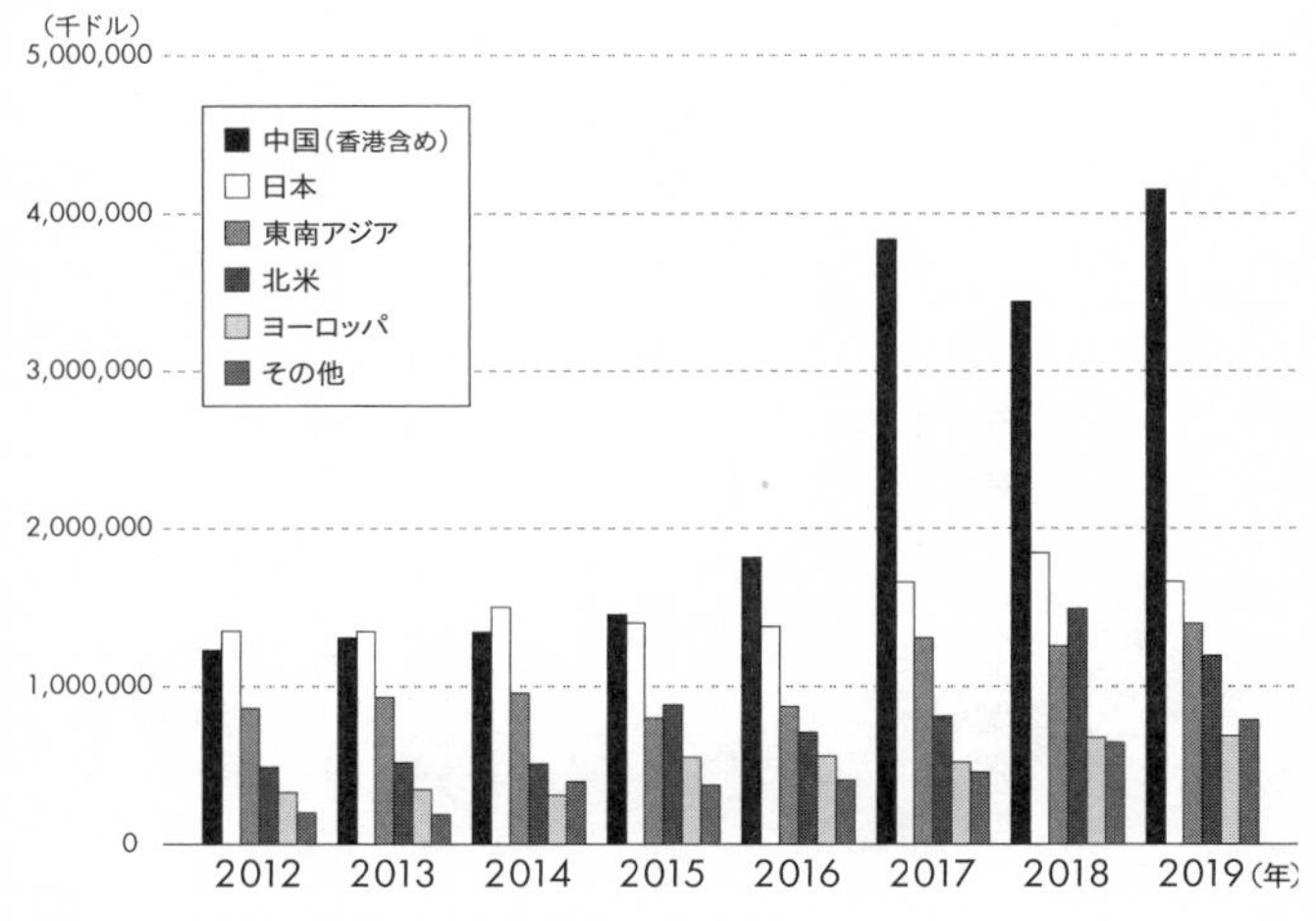

図 2-2　地域別韓国コンテンツ輸出額（2012～2019）単位：千ドル
出典：文化体育観光部・韓国コンテンツ振興院「コンテンツ産業統計調査」
※ 2013～2019 年の統計を抜粋し作成

このように中国に対する韓国コンテンツ輸出が大きく伸びた原因の一つは、ドラマの販売金額が高くなったことである。2013年ドラマ『星から来たあなた』は一本あたり4万ドルだったが、2017年『あなたが眠っている間に』は40万ドルまで成長。中国で発生した収益のみで制作費が100%回収できたと報じられた。また中国産の配信プラットフォームは、中国国内市場が飽和状態となり、アジアを中心とした海外展開を次々と進めていった。そこで新規加入に直結するコンテンツが、韓国コンテンツだと言われる。アドテック分野のグローバルリーダーおよびプログラマチック広告専門企業のザトレードデスク（The Trade Desk）の「TVの未来2022年報告書――東南アジア地域OTT現況（The Future of TV 2022 – A Report on the State of OTT in Southeast Asia)」では、韓国コンテンツは東南アジア地域で配信サービスが急激に成長する上で非常に重要な役割を果たしていると報じた。[*8] 東南アジア地域には、約2億人の配信サービスのユーザーが存在する。韓国コンテンツはインドネシアとフィリピンでは1位、女性ユーザーの60%が韓国コンテンツを好むという結果が出た。

＊8　https://pages.thetradedesk.com/southeast-asia-ott-report-2022.html
https://www.itbiznews.com/news/articleView.html?idxno=72534

中国の代表的な配信プラットフォームのアイチーイー（iQIYI）は、２０１９年にサービスを開始、約２００カ国でコンテンツを提供している。ユーザーの約40％が韓国ドラマを視聴し、２０２０年5月に公開したオリジナルドラマ『九尾の狐とキケンな同居』は8億回再生を記録した。２０２０年9月には、朝鮮王朝時代を舞台とするゾンビものドラマ『キングダム』を制作したＡ ＳＴＯＲＹが、アイチーイーのオリジナルドラマ『智異山（チリサン）』の制作を発表し、その作品の海外放映権（中国と韓国を除く）は約２９０億ウォンで購入された。今後アイチーイーは有料加入者の50％以上を海外から確保することを目指し、その達成のためには韓国ドラマは欠かせないという。ラインナップの拡充のために２０２１年にはコンテンツの購入金額が前年比で30％増加したアイチーイーだが、そのうち韓国コンテンツが20％を占める。アイチーイーの担当者はビジネスモデルについて、サブスクリプションサービスから広告収益モデルへの転向のためには、韓国ドラマの役割が非常に重要であると語っている。

このように韓国ドラマの収益構造は、韓国の放送局、グローバル動画配信サービス、中国動画配信サービスの三つを中心に構造の変化が起きている。

韓国ドラマ4・0　制作スタジオ、プラットフォーム、新たなグローバルへの挑戦

今後の韓国ドラマの行方はどうなるのか。そのヒントは最新の日本展開にありそうだ。

2022年5月12日、『愛の不時着』『トッケビ』など数多くのドラマを手がけた「スタジオドラゴン」は、韓国のCJ ENMと日本でLINEマンガなどを運営するLINEデジタルフロンティアとともに合弁法人「スタジオドラゴンジャパン」を設立すると発表した。[*9] 記事によると、スタジオドラゴンジャパンはLINEデジタルフロンティアのIP、つまりデジタル漫画やウェブ小説などの競争力のあるストーリーを活用していく。同時に映像コンテンツ企画・開発から資金調達、プロデュースと流通に至る全過程でノウハウを持つCJ ENMおよびスタジオドラゴンが協力していく。そうすることによって差別化されたコンテンツで日本のドラマ市場を攻略していく戦略である。

CJ ENMのドラマ日本事業総括のカン・チョルグ経営リーダーは「スタジオドラゴンジャパンは、韓国と日本両国のクリエイターが相互交流できる架け橋の役割を果たす場である。競争力のあるコンテンツのグローバル進出ゲートウェイの役割を目指す」と語った。

配信プラットフォームをはじめ、新しい流通チャンネルを開拓しながら、良質のドラマや

＊9　関連記事　https://www.hankyung.com/it/article/202205134986v

映像コンテンツを制作していく。日本に向けたビジネス戦略が変化したといえるだろう。これまでは韓国で作られたドラマの販売とそこから発生する付加価値、もしくは投資による権利確保が中心であったが、これからは対等なパートナー関係を制作現場とビジネス上で実現し、「共同制作」「共同ビジネス」「共同マネジメント」によって世界を席巻していく。

「スタジオドラゴンジャパン」設立発表の約1ヶ月前の2022年4月19日、『梨泰院クラス』『今、私たちの学校は…』など、スタジオドラゴンと肩を並べる人気ドラマを作った総合編成チャンネルJTBCの制作スタジオが社名を変更した。新たな社名はSLLで、Studio LuluLalaの頭文字を取ったものである。社名には、全世界の人々の日常にルンルンランランと楽しい瞬間を加えるコンテンツを作るという意味が込められているという。[10] 2011年に総合編成チャンネルを開局して以来10年以上が経過した今、新たに世界的な制作スタジオを目指す、その第一歩となるだろう。2021年にはアメリカの制作会社Wiip（『メア・オブ・イーストタウン／ある殺人事件の真実』などを制作）を買収し、ハリウッド進出を狙う。次は日本だそうだ。

チョン・ギョンムンSLL代表取締役は取材のなかで、制作費投資とファンド、IP確

＊10 関連記事 https://www.yna.co.kr/view/AKR20220419112200005?input=fb&fbclid=IwAR2mJ87RWuoSS_1EsP2oDUwYsiewZXvd7XyHRFGfMcthAYpCo_NjMsriUMw

保など、今後3年間で3兆ウォンを投資すると明らかにした。ドラマ、映画、バラエティーなどジャンルの拡張性が高まっているなかで、差別化したIPを企画・開発、確保することに積極的に乗り出すという方針だ。

韓国のドラマ制作会社を代表するこの2社は、ローカルコンテンツを後押しする戦略で改めて日本進出のため動き始めた。日本の映像制作現場への進出を通じて、新たなプラットフォームの開拓、グローバル展開を狙っている。多様な協業を通じて多角的なビジネス構造を創出することが狙いである。

制作スタジオに続き、流通プラットフォームの業界においても日本に対する動きが活発となっている。

2021年12月、韓国の動画配信サービス「TVING（ティビン）」が、2022年に日本と台湾へ進出する計画を発表した。全世界で人気の韓国コンテンツを武器にグローバル市場に打って出るという。[*11] それを実現するために手を組んだのが、全世界で2億人が利用しているメッセンジャーサービスLINEである。TVINGはLINEとの協業を通じて、現地のユーザーを確保する狙いのようだ。日本と台湾からサービスを開始し、2023年には

*11 関連記事 https://biz.chosun.com/it-science/ict/2021/10/18/52CC423UPNCOTMRRPLSL6BX62A/

アメリカへの進出も目指す。

TVINGは、韓国のCJ ENMから2020年に独立した動画配信サービスで、韓国のケーブルチャンネルtvNやJTBCなどの番組を中心に配信している。韓国ではNetflixでは観られない韓国のドラマやバラエティー番組も数多く観ることができる。海外に進出した場合、tvNやJTBCで人気のドラマをNetflixで配信せずにTVINGで独占配信するという可能性も考えられる。

ヤン・ジウルTVING共同代表は「日本と台湾はSVOD（定額制動画サービス）市場が急速に成長しており、韓国コンテンツの人気が証明された。今後東南アジア市場への拡張の可能性まで念頭に置いている」と語った。今後は、ヨーロッパ、中南米など10カ国以上に進出するという抱負も付け加えた。

新型コロナウイルス感染症の拡大により、全世界のホームエンターテイメントとして根づいたインターネット動画サービス。国産、外国産にかかわらずレッドオーシャンと言われ、競争が激しい市場が動画配信プラットフォームである。そこに新たに挑戦状を叩きつける韓国産のプラットフォームの市場攻略。そして現地に進出してローカルコンテンツを制作し、新たなグローバル展開を狙う制作スタジオのビジネス展開。成功するかどうかを議論する必要はない。大事なことは、日本とともにアジア発のグローバルコンテンツを作り出し、それによって両国の制作環境とビジネスが成長し、ともに進化していくことだ。

第3章 K-POP、ドラマを超える影響力

おじさんを虜にした第2世代のK－POP、そこから始まる

K－POPはいつから世界に向けて活動を開始したのか。

韓国ドラマ『応答せよ1997』は、1990年代に韓国で人気を博した2大アイドルグループH.O.T.（エイチオーティー）とSechs Kies（ジェクスキス）を追いかける若者たちの青春を描いたドラマだ。勉強せず、授業をさぼって音楽番組を鑑賞する際に繰り広げられるファン同士の熱烈な応援合戦も見所だった。

近年ドラマだけでなく、K－POPが韓国の大衆文化を代表するジャンルとして台頭してきたのは世代交代と関連がある。第1世代は、1990年代後半に韓流の芽を出したH.O.T.、Sechs Kies、S.E.S.（エスイーエス）、Fin.K.L（ピンクル）、god（ジーオーディー）である。次の第2世代がK－POPが本格的に世界的にスタートした2000年代半ばから2010年代前半に活躍した世代である。代表的なグループは、少女時代、Wonder Girls（ワンダーガールズ）、KARA（カラ）、BIGBANG（ビッグバン）、SUPER JUNIOR（スーパージュニア）、東方神起など。海外市場への継続的な進出によりBTS（防弾少年団）、EXO（エクソ）、TWICE（トゥワイス）、BLACKPINK（ブラックピンク）などの第3世代と、aespa（エスパ）、IVE（アイヴ）、ENHYPEN（エンハイプン）などの第4世代が、世界の音楽業界に挑戦している。

ここで注目したいのは、第2世代のガールズグループだ。韓国の国内音楽市場は、かつ

ては男性グループに女性ファンがつくもので、女性グループの結成にあまり積極的ではなかった。ドラマ『応答せよ1997』がいい事例だ。しかし、少女時代、KARA、Wonder Girlsという第2世代のガールズグループの人気によって男性ファンが飛躍的に増えた。韓国語で「삼촌팬（サムチョンペン）」は若い女性アイドルグループが好きな中年男性のことを指す。サムチョンはおじさん、ペンはファンという意味で、30代から50代の経済力のある男性が、好きなガールズグループのCDやグッズなどを一つも欠かさず購入する。日本で「アイドルオタク」と呼ばれるような層だ。韓国では第2世代のガールズグループが登場し、10代や20代のファンよりも経済力のあるおじさんファンを大事にするという戦略に更新された。

こうしておじさんファンたちは、韓国の音楽市場やファンビジネスの軸となり、次々と新しいファンダム（ファンの組織、団体）ができた。たとえば、年下の男女グループが好きな女性ファンは姉ファン、韓国語で「누나팬（ヌナペン）」、年齢がかなり上の人はおばさんファン、「이모팬（イモペン）」という。BIGBANGのような男性グループを応援するおじさんファンは兄さんファン、「형님팬（ヒョンニムペン）」と呼ばれる。

日本のおじさんに取り組もう！　その失敗から学んだこと

2005～2006年頃、音楽業界はドラマと同じようにK－POPを日本で普及させることを真剣に考えるようになった。『冬のソナタ』などのドラマを中心に中高年の女性ファンを獲得していた韓流。若者や男性ファンを増やすことが課題となっていた時期に、少女時代、KARA、Wonder Girlsといった第2世代のガールズグループが登場した。

韓国でおじさんファン層を築いたガールズグループは、日本の男性アイドルオタク層にも届くはずだと思ったが、結果はさほどのものではなかった。やはり韓国ドラマファンは、男性のK－POPグループを応援する。そして韓国のガールズグループは成人男性ファンを獲得できなかった。韓国の成人男性ファンの間で流行っているものが、そのまま日本に伝わるという考えは浅はかだったのだろう。アイドルの成長を見守るという価値、いつでも会えるファンとの距離感など、日本独特のアイドルオタク文化に精通できていなかった。

しかし、30代を中心とした若い女性ファンへの展開は成功した。BIGBANG、東方神起、SUPER JUNIORの人気は、韓流ドラマに興味がなくてもK－POPを楽しむ新しいファン層を作り出した。この世代はネットでの情報収集を積極的に行い、韓国でのライブツアーを韓国専用のチケット販売サイトで予約して、韓国旅行を楽しむようになる。この時期から各グループのオンラインファンクラブ事業が活発になり、ＥＣサイトやネット通販などのビジネスが拡大した。

Ｋ－ＰＯＰが変えた！　音楽は聴くものではなく観るもの

Ｋ－ＰＯＰ関係者は異口同音に、Ｋ－ＰＯＰグループが成功するためには４つの要素が必要だと主張する。それは、「魅力的なルックス」「素晴らしいステージパフォーマンス」「一流のミュージックビデオ（ＭＶ）」「世界のトレンドを反映した音楽」。そのなかでもＭＶは、世界展開のカギを握ると言われている。ＭＶはＣＤの販売を促進するためのマーケティング・広告ツールであることはもちろんだが、プロモーションビデオの効果を超えて一つの作品として捉えられるジャンルであり、高い芸術性を持っているからだ。ＭＶは音楽の世界観やメッセージをビジュアルとストーリーで観せることにより、言語の理解を超えた共感や印象を与えることができる。

観る音楽の時代を切り開いたＭＶ。とくにＫ－ＰＯＰはＭＶを通して、各々のアーティストのコンセプトを大衆に伝えている。マイケル・ジャクソン、マドンナ、ビヨンセなど、世界のトップアーティストのＭＶのレベルははるかに高い。ＢＴＳの生みの親であるプロデューサーのパン・シヒョク氏は、ある番組で、メンバーとともに音楽とMVの完成度を高めるために努力してきたと語った。アルバムやMVの制作準備段階は、彼らの完璧さへのこだわりがピークに達する時期である。アルバムの準備期間に入ると、練習が公式スケジュールになる。練習に集中するために、他の活動はほとんど停止する。これに対して経済的に損失ではないのかと心配する声もあるが、「恥ずかしくないレベルのものを作るためには、どんな損失も受け入れる覚悟がある」と最初からメンバーと自分に誓っていたと言う。

K-POPを好きな理由として、世界のファンはMVやステージパフォーマンスのストーリー性をよく挙げる。いくら英語の歌詞が使われていても、その曲の意味や世界観をすべて海外のファンが理解することは難しい。そこでK-POPは音楽を最も分かりやすく理解するためのツールとして、パフォーマンスやMVのクオリティを磨(みが)いてきた。音楽はダンスで聴き、音楽のコンセプトはMVで再現する。新しいアルバムが発売されたとき、人々が最初に出会うのはMVである。MVには音楽とともに、そのアーティストやアルバムのコンセプト、メッセージ、世界観がすべて含まれている。

BTSのMVはすべて「成長」の世界を映し出している。学校、青春、誘惑、愛……。

彼らは音楽を通じて、同じ世代を生きるファンへの共感を「成長物語」に落とし込んでいる。彼らのMVは「世界を理解させる」ことよりも「世界をありのままに見せる」ことに重きを置く。社会の規律や秩序に縛られることなく、自分の内なる声に従って生きることで人生を定義するのだと。新しいアーティストシップや芸術性を発揮したそのメッセージが、MVを通じて世界中のファンへと訴えかけられている。

K－POP 3.0　文化技術が生み出したシステム

韓国で定期的に開催されるイベント「SparkLabs Demoday」には起業家、投資家、ビジネスリーダー、メディア、政府関係者など、次世代の発展を予測しようとする人々が集い、スタートアップ企業、新技術やイノベーション、時事問題やトレンドについて議論する。

2018年の「SparkLabs Demoday」で基調講演を行った一人は、TWICE、NiziU、Stray Kids、ITZYなどが所属しているJYPエンターテインメント代表のパク・ジニョン氏。JYPが提示した「Globalization by Localization」、つまりローカライゼーションによるグローバル戦略について言及するなかでK－POPビジネスの更新を語った。K－POP 1.0は、韓国で作られたものを外国で拡張したもの。これにはK－POPに限らずドラマも含まれる。K－POP 2・0は、海外のアーティストと韓国のアーティストのコラボレーションを展開する多国籍のグループを構成する。代表的なグループはタイ出身のアメリカ人であるニックンが所属している2PMである。多国籍のアーティストグループの戦略は、国際展開に大きな影響を与えた。そしてK－POP 3・0として、海外の人材を育成・プロデュースし、現地でデビューさせるというステップを踏んでいった。これを実現したのが、2020年にデビューしたNiziUである。

また、K－POPは最先端の文化技術産業としても発展している。K－POPは3・0までに徹底的にシステム化、モジュール化されてきた。単なる文化産業のジャンルにとどまらず、人材育成のための文化技術として成長し、位置づけられる。練習生のシステム、ローカライズの仕組み、国境を超えた協業関係の構築は、K－POPの技術である。

K－POPは、グローバルな発展のために海外の才能を育てるだけでなく、曲づくりやパフォーマンスなどのクリエイティブな分野でも非常にシステマチックな手法を作り上げている。曲づくりのためにソングライティングキャンプ（Songwriting camp）システムを導入しているのだ。ソングライティングキャンプは、1990年代後半に北欧の音楽界を中心に始動した集団創作システムである。K－POPでは、2000年代後半から大手のアーティストマネジメント会社を中心にこのシステムが導入されている。多くの音楽クリエイターを一堂に集め、短時間で共同作業による成果を得ることに重点を置いたシステムであり、特定の作曲家やプロデューサーに頼って曲を作っていた従来の音楽の手法や概念を大きく覆すものだ。

そして、パフォーマンスである。新曲が出来上がると、プロデューサーは世界中のパフォーマーやダンサー、振付師に連絡し、パフォーマンスの創作を依頼する。ソーシャルメディアを通じて各国の優秀なダンサーやパフォーマーをリサーチし、出来上がった曲を最もよく表現できる人に依頼するケースが多いという。依頼された人は曲に合わせていろいろな角度で撮った振り付けの映像を提供する。もちろん採用・不採用にかかわらず、提供されたすべての映像に対する報酬を支払い、その代わりに実演に関する権利は、依頼者が有するように契約する。そして新曲担当のプロデューサーが各国の映像を確認し、パフォーマンスを完成させる。驚くべきは、提供された一つのチームのパフォーマンスを丸ごと採用されるケースは少ないという点である。ある部分はAさんのダンスを、ある部分がBさんのアイデアを、など提供されたパフォーマンスを組み合わせて完成度を高めていく。つまり世界のトレンドを多様に取り入れているのだ。K－POPが無国籍化した魅力を持つのは、そうした制作システムによるものだ。

このような楽曲制作やパフォーマンス制作のシステムは、世界展開とヒット曲の量産につながる。スマートフォンを通じて世界中の作品にアクセスし、ソーシャルメディアを通じて毎日コミュニケーションをとることができる時代において、K－POPの創作システムは時空を超えた文化技術と言えるだろう。

レコード会社を中心とするJ－POP、マネジメント会社を中心とするK－POP

アーティストを誰がプロデュースするのか。実はここに日本と韓国の大きな違いがある。日本では芸能事務所に所属するアーティストであっても、音楽業界での仕事は音楽レーベル会社が主導する。一方、韓国ではマネジメント会社が主要な音楽活動とビジネスを管理しているのだ。

日本の音楽産業はレコード会社中心の構造となっている。製造、流通、宣伝・広告、原盤権、著作権などをレコード会社が主導する。各々の分配比率はケースによって違いはあるが、大体は製造（プレス）が15％、流通（ディストリビューターを含め）が25％、MV制作を含めた宣伝・広告が20％、原盤権16％、著作権6％で、残りの18％前後がレコード会社の利益である。このような構造に従い収益分配を行う。CDを制作するレーベルはレコード会社の一部署のような位置づけだ。

それに対してK－POPはマネジメント会社、日本における芸能事務所自体がレーベルを作る場合もあり、予算から制作、製造、流通、運営まで音楽産業の工程をコントロールする。アーティストの発掘から育成、デビューするための曲づくり、MVの制作、振り付け、宣伝・広告など、マネジメント会社が担う場合がほとんどである。

音楽産業におけるこの日本と韓国の構造の違いについて、専門家は企画を優先する韓国音楽産業と市場インフラを重要視する日本の音楽産業の差だと言う。K－POPの場合、一つの曲が世のなかに現れるためにマネジメント会社が準備することが多く、制作過程の予算も自由に立てることができる。またオンラインのデジタル音源サービスがいち早く導入されたことについては、伝統的なレコード会社が不在だったことが、日本の音楽産業と違う理由の一つである。

巨大な音楽産業のインフラを維持するために、同業者間のバランスを重視する日本の音楽産業に対して、K－POPのマネジメント会社の事業展開は非常に機敏である。JYPエンターテインメントは、2018年からアーティスト別に独立した事業運営を行うことを宣言した。音楽プロデュースから宣伝まで、全業務について一つのチームが一つのアーティストを担当できるように経営と運営を変えた。これによって効率的かつ専門的で、持続可能なビジネス展開が期待できる。

TWICEの安心・安全なセグメントビジネス

NHK紅白歌合戦は、日本のその年の芸能や流行を知るには最適な番組だろう。2017年の「第68回NHK紅白歌合戦」に韓国のガールズグループTWICEが出場したことは、韓国メディアでも大きく取り上げられた。2011年のKARA、少女時代以来6年ぶりのK-POP出場だった。

その頃、日本の友人からメッセージが届いた。2児の母である友人は、TWICEが保育園の子どもたちやお母さんたちにとても人気があると語った。TWICEは「安心」「安全」なアーティストだと言う。子どもが彼女たちを真似して歌って踊っても、教育上、不安にならないと。

K-POPは同世代に対して、カッコよさを売りにすることがほとんどだ。その容姿や歌、パフォーマンスは、大人にとっては憧れの対象であっても、子どもや小中学生にとっては興味の対象にはなりにくい。しかし、TWICEは違った。泣き顔や悲しみの顔文字を連想させる「TT」という曲をきっかけに、子どもたちからも人気を集めた。

当時、TWICEのマネジメントを総括している関係者に話を聞く機会があった。TWICEは20代の女性をターゲットにしたセグメントビジネスが成功しているということだった。体のシルエットを見せる衣装や露出の多い衣装、パフォーマンスは極力避けた。さらに、かわいい色や制服デザインを活かし、靴下、スニーカーなどの若い女子が憧れるファッションを採用した。また限定グッズは老若男女問わず使えるものではなく、主に10〜20代の女性向けに考案したようである。マスメディアよりもSNSやスマートフォンに慣れ親しんだデジタル世代をターゲットに、カッコよさよりもかわいらしさを重視したコンセプトで新たなファン層を狙った。

TWICEの影響力は音楽だけにとどまらず、制服ファッションやコスメにも影響を与えていた。日本の若者の聖地といわれる原宿の竹下通りには、韓国の学生服を思わせるチェックのプリーツスカートや韓国コスメを売る店があちこちにできていた。韓国の制服のレンタルも始まり、それを着てディズニーランドで撮影するのが一時期流行った。

未来を切り拓く、若者の代弁者としてのK－POP

これまでのK－POPアーティストは、自身の曲が多くの人に愛され、ライブやCD販売などのビジネスに成功し、さらに新しいヒット曲が生まれる……という循環のなかで活躍してきた。しかし、最近のK－POPは世界のオピニオンリーダー的な存在になってきている。

2018年には、BTSが国連で演説を行った。2017年に彼らは国連児童基金（UNICEF・ユニセフ）と協力し、世界中の子どもや青少年に対する暴力をなくすことを目的としたキャンペーン「ラブマイセルフ（LOVE MYSELF）」を開始していた。その延長線上にある国連への初登場だったが、そのメッセージは強い。

「みんなに聞きたいです。あなたの名前は何ですか？　あなたの心をドキドキさせることは何ですか？　あなたの話をお聞かせください。
あなたの声、あなたの信念をお聞かせください。自分が何者なのか、どこから来たのか、肌の色やジェンダーアイデンティティには関係なく、自分自身について話してください。自分自身に問いかけながら、あなたの名前、あなたの声を探してみてください」

2年後の2020年、新型コロナウイルスの危機によって、世界中の若者の生活が一変し、今や将来への不安を抱えながら日々を過ごしている彼らに、希望と連帯のメッセージを映像で伝えた。

「未来は暗く、痛みを伴い、困難かもしれません。つまずき転んでしまうかもしれません。しかし、夜が暗いほど、星は明るく輝くものです。星が隠れれば、月明かりに導いてもらう。月も暗ければ互いの顔を光にしよう。新しい世界を想像してください。疲れきっているかもしれないけどもう一度夢見よう。世界が自分の小部屋から飛び出してくるような未来を」

（翻訳は著者による）

そして2021年には、まだ続いているコロナ禍の状況でも健康的な生活を心がける若い世代の多様な活動の写真を示し、これからの世代は「ロストジェネレーション（失われた世代)」ではなく、「ウェルカムジェネレーション」であると語った。変化を恐れるのではなく、「ウェルカム」と言って自分たちが未来に向かう世代だと。チャンスと希望を信じれば、予期せぬ事態に迷うことなく新しい道を発見できると信じて疑わないと強調した。

2022年、ジョー・バイデン米大統領の招きでホワイトハウスを訪れ、アジア人に対するヘイトクライムや差別解消の取り組み、貧困や気候変動危機、メンタルヘルスなどの問題に対して発言力を発揮したいと告げた。バイデン大統領は「BTSの活動によって大きな変化が生まれる。憎しみをなくすにはどうしたらいいか、話し合うことが大切だ」と話した。

BTSだけではない。2022年7月、国連が主催する「2022持続可能な開発目標に関するハイレベル政治フォーラム」の開会セクションでK-POPガールズグループaespaは「Next Generation to the Next Level」をテーマに演説した。

なぜ、K-POPアーティストは世界に向けて声をあげるのか。

文化評論家のキム・ヨンデ氏は、ファンから考えると、「ナラティブ」と「主体」がK-POPの最大の魅力であり特徴である、とその意義を語る。ナラティブとは、物語、語り、話術という意味だが、自分自身の物語を語る「私」という主体がそこに含まれる。自分自身の成長や社会に対する声明を、ソーシャルメディアを通じてファンに伝え、社会問題や成長期の悩みを音楽を通じて伝えている。K－POPアーティストはファンの代弁者としての役割を果たしているとキム氏は語った。

K－POPが政治運動化することを危惧する声や、ファンダムが一つの政治組織になる可能性を問題視する声もある。こうした意見は、K－POPの楽曲が聴いて楽しい音楽というだけでなく、世界的に共感を集めるメッセージでもあることの裏返しだろう。

ファンコミュニティプラットフォームの成立

K－POPへの注目は科学、芸術の世界にも大きな影響を与えた。私が所属している学会では、社会性、地域デザイン、国際コミュニケーションなど、様々な観点からK－POPの研究を行う学者が多くいる。なかでも、K－POPの普及と影響力については、ファンダムを中心にしたコミュニティ研究としての議論が盛んである。ファンダムとは、過剰消費者であるファンによって作られる一連の文化や集団のことを指す。特定のアーティストに対する忠誠心で成り立っており、ファン自身による様々な信頼と支援の結果である。

K－POPはSNSなどのソーシャルメディアを通じて新しい大衆文化や文化消費を創造

している。

新型コロナウイルス感染対策で海外渡航が困難になった2021年、YouTubeチャンネルで動画企画を実施した。私が韓国コンテンツ振興院の日本ビジネスセンター長を務めた当時、駐日韓国文化院と共同で立ち上げたのは、『Kエンタメ・ラボ～古家正亨の韓流研究所』。[*12]日本でも人気の高い韓国ドラマや映画、K－POPなど、韓流エンターテイメントの動向や魅力について、様々な角度から情報を提供するものだ。MCはラジオDJ、イベントMCなど韓流エンタメの現場の最前線で活躍されている韓国大衆文化ジャーナリストの古家正亨氏が務める。

制作した動画のなかで、『K－POPの聖地を歩く①～狎鴎亭・狎鴎亭ロデオ／韓流スター街編』を見ると興味深いシーンがある。韓国・ソウル中心地、江南区にある狎鴎亭地下鉄駅から続く地下通路の壁面に、印象的なK－POPアイドル広告が並んでいる。その光景は、最近日本でも観られるようになったファンがアーティストを応援する推し活として提案したものだ。2022年7月から1ヶ月間、BTSのファンクラブであるアミ（ARMY）が主催した現代アート展「Beyond the Scene」がソウルで開催された。BTSの楽

＊12 https://www.youtube.com/playlist?list=PLVmoMtBhCWLXQ-hkqwHjbSF8zehDeDaoc

曲や活動から7つのキーワード（アイデンティティ、多様性、記憶、連帯、日常、環境、未来）を設定し、現代の美術作家たちの作品を展示した。

K-POPの進化とともに、ファンダムも大きく変化している。初期のファンダムは、インターネットポータルサイトでコミュニティを作ったり、アーティストのスケジュールを共有したりする程度だった。そこからファンクラブへと発展し、定期的なファンミーティングを開催するなど、ライブや様々なイベントを組織的にサポートするようになった。さらに最近ではファンコミュニティのプラットフォームが独自に発展し、オンラインでアーティストのコンテンツを消費し、直接コミュニケーションをとることができるようになった。アーティストとファン、ファン同士での活動を楽しむことができる空間である。代表的なものに、BTSの所属会社HYBE（ハイブ）とインターネット企業NAVER（ネイバー）が共同出資した「Weverse（ウィバース）」、SMエンタテインメント所属をはじめ多くのK-POPアーティストとの交流ができる「Bubble（バブル）」がある。

ファンコミュニティプラットフォームは、アーティストのマネジメント会社にとってはマーケティングと流通のツールである。これまでは様々な流通経路を持ち、管理が煩雑（はんざつ）で、当然ながら多額の販売手数料を支払っていた。また新たなビジネス展開の手段としても重要であり、現在メタバースのビジネスをファンコミュニティといかに結びつけるかが注目されている。一方ファンとしては、プラットフォームはアーティストと具体的にコミュニケーションできる窓口であり、いつでもどこでも好きなアーティストの活動を見ることができ、直接のコミュニケーションが可能な場だ。

現在、Weverseにはアメリカの歌手やイギリスのバンドなど、国際的に有名なアーティストが参加していて、着実にグローバル展開を進めている。また音楽アーティストだけではなく、アスリートや芸術家、俳優など、様々な分野への拡大が期待される。ファンダムの協力を前提とした人材発掘オーディションプログラムも、そのプラットフォームを通じて投票する場合がある。ファンとのコミュニケーションからビジネスモデル、国際展開、新事業開発まで、ファンダムプラットフォームは今後、最も注目を集めると考えられる。

第4章

ドラマ、K-POPの次は、なぜウェブトゥーンなのか

ウェブトゥーンの由来

ウェブトゥーン（WEBTOON）とは、本来は「ウェブで読むインターネット漫画」という包括的な意味として、既存の出版漫画とは区別された概念として使われてきた。しかし、スマートフォンの普及によってその概念は大きく変わる。ウェブトゥーンという名前は韓国の大衆文化辞書（2009年）によると、ワールド・ワイド・ウェブ（World Wide Web）のウェブ（Web）と、漫画を意味するカートゥーン（CARTOON）を組み合わせた合成語である。一時期はフラッシュソフトを使って制作したウェブアニメーションやウェブ上で作られたすべての漫画を代表する用語として使われていたが、現在では縦長のウェブサイトに合わせて一コマずつ縦にスクロールして読むものをウェブトゥーンという。

ウェブトゥーンは、グローバル市場では日本の漫画が「MANGA」とカテゴライズされているのと同様に、韓国のデジタル漫画として認識されている。

ウェブトゥーンという用語が初めて登場したのは、2000年8月16日付の「ハンギョレ新聞」であった。当時、PC通信サービスの一つであるチョンリアン（Chollian）が運営するポータルサイトでの漫画サービスの名称が「ウェブトゥーン」であった。チョンリアンで連載される作品は、自分の身のまわりに起きた出来事を一つ一つのエピソードとして描く、絵日記のようなものが主流であった。作家ホン・ユンピョがサラリーマンの日常を描いた『天下無敵ホン代理』が代表作の一つである。激しい競争社会のなかで、一日一日を乗り越えていくサラリーマンの人間模様が共感を得ていた。

漫画文化のたまり場、マンファバン

韓国における漫画の歴史を語るにあたっては「マンファバン（漫画房）」が欠かせない。マンファバンは「漫画を貸す部屋」という意味で、日本の漫画喫茶のように多数の漫画本を備えていてその場で読書や貸し出しができる施設のことである。1953年に朝鮮戦争が休戦を迎えた後、大勢の人々が集まる公園や市場は唯一の娯楽の場であった。そこに「漫画座板」という移動型の仮設店舗が開かれた。地面に薄い板を敷き、その上に漫画を並べて子どもたちに貸し出したことがマンファバンの始まりだといわれている。

「漫画座板」の盛況に伴い漫画の出版社が増えた結果、1960年代にマンファバンは組織的に拡大した。マンファバンの店主と出版社の間には、外務員と呼ばれる取次業者がおり、日々出版社から新作を割り当てられていた。彼らは定価の65％程度の金額で新作漫画を購入し、店主に80％で卸して15％あまりの利益を得ていた。一人の外務員は20〜30店のマンファバンを担当し、彼らが街に現れると子どもたちが彼らを追いかけて付いてくるという、まるでサンタクロースのような存在であった。その結果、この時期に出版された漫画数は拡大した。またマンファバンは、テレビを設置して子ども番組やスポーツ中継などを見せることで視聴料を徴収し、利益を得ていた時期もあった。

1970年代になると、マンファバンは漫画や本を読む場所にとどまらず、子どもたちの遊び場として、また中高生の文化の中心として人気を集めた。全国で1万8000店舗まで増えたマンファバンは、未成年者に悪影響を及ぼすとされ1980年代には半分まで減り、1990年代には5000店舗にまで減った。さらにヒット作品が出るとすぐに模倣作品が量産されて、似たような絵や内容の作品が溢(あふ)れることにより、次第に読者が遠ざかっていた。またレンタル書店など、マンファバン以外でも漫画の取り扱いを始めた書店などが増え、1990年代の後半にはテレビゲームソフトウェアの市場拡大とコンピュータの普及などと相まって、徐々にマンファバンから人が離れていった。

写真：左＝1961年の漫画座板（国立民俗博物館）
右＝1970年代のマンファバン（韓国漫画博物館）

危機と機会、インターネットとの出会い

1990年代、韓国の漫画産業はレンタル市場が主流であった。販売は売上全体の15％程度で、そのなかで日本の漫画は人気ランキングの上位を占めていた。一方で、新作が出版されると、その日のうちに海賊版が出回り販売部数に大きな打撃を与えた。発行部数の減少、海賊版の不法流通、マンファバンの衰退など、漫画市場の衰退の影響は漫画家たちを直撃した。創作活動の場がなくなり、唯一の突破口であった漫画雑誌もそれほど期待には応えられなかった。漫画家デビューの登竜門であり人気作家の新作を扱った漫画雑誌は、誌面が限られており壁が高い。漫画家の間では、漫画雑誌は不動産と同様だといわれた。つまり、住んでいる人が引越しすれば入居できるようになるのと同じく、限られた誌面で新人漫画家が連載しようとしても既存作品の連載が終わるまで待たなければならない。日刊紙の漫画コーナーも同様に厳しい状況であったという。世の中に作品を送り出す「場」が徐々に減っていった時代にインターネットが登場した。

インターネットが普及した2000年代の初頭、韓国では自分のホームページを作ることがブームであった。1999年に設立された「サイワールド（Cyworld)」は、個人向けホームページサービスで韓国ではSNSの元祖といわれている。アマチュア漫画家は習作

を自分のサイワールドのページにアップした。そこで漫画を読んだ知り合いが感想を書き込んだり他の人に転送するなど、新たなファンコミュニティが広がっていった。習作レベルで絵が上手でなくても、ストーリーがおもしろければ好評価が得られた。インターネットという無限の空間には、個人の自由な発想と表現の場、読者とのコミュニケーションの場、そこから生まれる評価とチャンスの場が存在していた。またホームページを閲覧する際のブラウザとマウススクロール機能に合わせて、左右より上下に読みやすくなるように、絵とストーリー展開を工夫していった。それがウェブトゥーンの縦スクロール方式の始まりである。この形式を活かして成功した作品が『スノーキャット (Snow Cat)』だ。1998年からウェブで連載された『スノーキャット』は、かわいい猫のキャラクターで大きな人気を集めた。それまでは出版漫画の様式をそのまま載せることが一般的であったが、この作品は初めて縦スクロールに合わせてストーリーを描いた。日常生活のメッセージを一コマで表現したことも高く評価された。このように個人のホームページから発信し、かわいいキャラクターを登場させて身近な日常を描いた作品は次々と大ヒットにつながった。

ウェブトゥーンの誕生

漫画家の個人ホームページを通じて作品を楽しむ読者が増加するなか、インターネットの普及によって出版市場の衰退が続いていた。出版産業が低迷し、漫画雑誌が廃刊となって連載が中止になるケースが多く発生した。一方、インターネットでウェブトゥーンを読む読者は急速に増えていった。漫画家たちは出版社や日刊紙の編集部に渡す作品をポータルサイトへ投稿し、これまでの読者を維持しながら新たなファンを拡大させていった。

同時期、韓国の代表的なＩＴ企業であるダウムコミュニケーションとネイバーは、それぞれポータルサイトを立ち上げた。ポータルサイト「ダウム（ＤＡＵＭ）」と「ネイバー（ＮＡＶＥＲ）」はともに検索エンジンを中心にサービスを行った。ポータルサイトの利用者を増やし、閲覧数を中心に広告による収益構造が成り立つ両社にとっては、数多くのユーザーをいかにして呼び込めるかが重要であった。多くのユーザーを獲得するためにコミュニティを強化したサービスや、ウェブ上で定期的、継続的に楽しめるサービスを模索し始めた。そこで目をつけたのがウェブトゥーンだ。漫画家の個人ホームページのアクセス数と書き込み数、縦スクロールの形式など、急速に広がりを見せるウェブトゥーンはポータルサイトのキラーコンテンツとして十分であった。一連の流れに乗って、２００３年にダウ

ムが「漫画の世界（만화속세상）」（後の「ダウムウェブトゥーン」）、2004年にはネイバーが「ネイバーウェブトゥーン（네이버웹툰）」を開始した。2社以外にも、通信会社のポータルサイト「パラン（PARAN）」と「ネイト（NATE）」もウェブトゥーンサービスを開始した。いよいよウェブトゥーンの開花期を迎え、市場が完成されるに至った。

ウェブトゥーン人気の勢いを確認したポータルサイトは、多様なジャンルとストーリーによってターゲット層の拡大に積極的な戦略を立てていった。「ネイバーウェブトゥーン」は身近雑記的なストーリーが特徴のオムニバス・シリーズ形式の短編、簡潔な作品に注力する。対して「ダウムウェブトゥーン」は、小説やエッセイのようなドラマチックな人間社会や人の生き方を描いた作品を集めた。

2008年、ウェブトゥーンが飛躍的に前進する時代が到来する。ADSL、VDSLなど、超高速インターネット回線の加入者数が1500万人を突破し、高画質で作品を閲覧できるインターネットコンテンツの利用者が多くなった。2009年には iPhone が発売されてスマートフォンの利用者が急激に増加し、2010年にネイバーはスマートフォンで最適に作品を楽しめるウェブトゥーンアプリをリリースした。このような産業構造の変化にともなってウェブトゥーン市場が本格的に成長するための足場が固められていった。

2011年にはスマートフォン利用者が1000万人を超え、2013年は有料課金サービスによる部分的な有料モデルを試行しながら2社は海外展開を始めた。ダウムは海外向けサイトでのコンテンツの提供、ネイバーは自社サービスであるLINEのプラットフォームを通じてグローバル市場を攻略していった。

それ以降、ウェブトゥーンクリエイターを管理するエージェンシーや制作サポートなどの多様なビジネスが派生し、市場は拡大し続けている。

物語のカタログ、ウェブトゥーン

2019年4月、ウェブトゥーン業界の大御所と言われる作家ユン・テホ氏に出会った。[*13] 手がけた漫画『未生(ミセン)』は、日本の文化庁が開催する第20回メディア芸術祭でマンガ部門の優秀賞に選ばれた。『未生』はウェブトゥーンをはじめ、単行本においても日本などで翻訳版が出版された。2014年には韓国でドラマ化され、国内外を問わず数多くの賞を受賞するほどの人気作品となった。2016年には日本のフジテレビでもドラマリメイク版が放映された。ユン氏はウェブトゥーンについてこう語る。

*13 2019年韓日コンテンツビジネスフォーラム（2019・4・10）

「ウェブトゥーンの誕生した経緯を見ると波乱万丈だ。時代の変化とともに生き延びて、さらに成長し続けてきたのがウェブトゥーンだ。漫画産業が衰退し始めて、漫画家たちが自分の作品を見せる機会がなくなっていた。その危機をチャンスへと逆転したのがインターネットだった。ここで漫画家は自分の作品を披露し、共有し、読者と共感を分かち合うことを積極的に行った。誰かから与えられたことではなく、自らその時代、その時代でチャンスを作ってきた」

（著者取材）

韓国コンテンツ振興院が発表した「２０２１年ウェブトゥーン事業者実態調査」によると、２０２０年ウェブトゥーン産業の売上高は１兆５３８億ウォンで、前年の６４００億ウォンに比べて64・6％増加した。[*14] ２０２０年に発表した作品総数は４２３４作品で、新作は２６１７作品、独占作品は１６１７作品となりプラットフォームの独占傾向が強い（図

＊14 韓国コンテンツ振興院（２０２１）「２０２１年ウェブトゥーン事業者実態調査」
https://www.kocca.kr/cop/bbs/list/B0000147.do?menuNo=201825

4－1）。この傾向は作家にも影響を与えており、2020年に活動した7407名のウェブトゥーン作家のうち、3割が独占作品のみを手がけている。海外展開実績も高く、コンテンツを輸出したことがある事業者は56・7％に及び、輸出件数は50件、作品数は平均19作品だ。輸出先を調べると日本が31・8％、中国（香港を含む）が23・4％、北米が15・7％、ヨーロッパ5・9％、台湾3・4％、東南アジア19・9％となっている。

漫画家たちはウェブ上で、制約なく自由な発想の物語と世界観を伝える。社会批判的な素材から、過去・現在・未来を行き来するファンタジー、ゾンビと戦う人々の人間模様まで、人が想像できるあらゆる世界をウェブトゥーンで描いていると言われている。「2021年漫画・ウェブトゥーン利用者実態調査」によると人気ジャンルは、コメディ／ギャグが15％で1位を占めて、次はファンタジー／SFが14％で、アクション／武侠（ぶきょう）、日常／感性／ヒーリング、純粋ロマンス、ヒューマンドラマと続く（図4－2）。

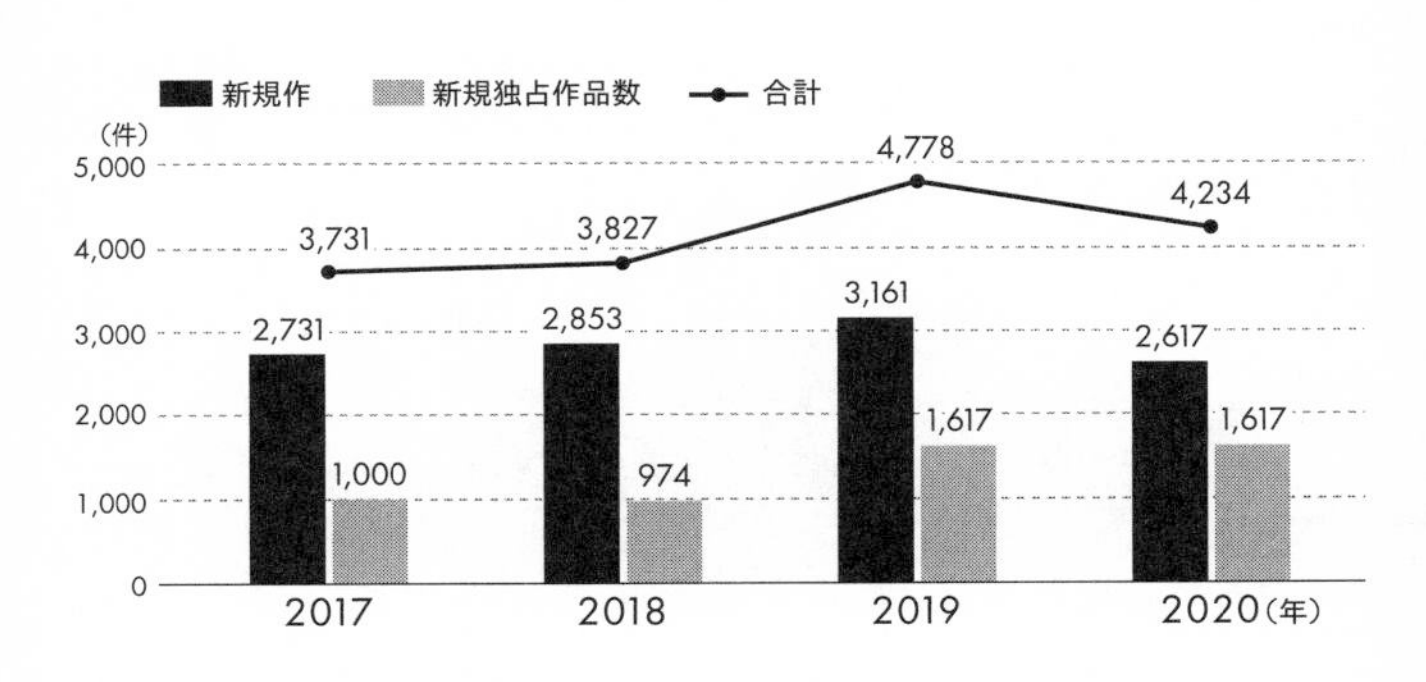

図 4-1　2017 年～2020 年のウェブトゥーン作品数（作）
出典：韓国コンテンツ振興院「2021 年ウェブトゥーン事業者実態調査」

ユン氏は、ウェブトゥーンの多様な物語の映像制作会社による映像化の展開が活発化していることを強調した。映像制作会社が目をつける理由について「カラーで一コマずつ、縦スクロールで読む。このようなウェブトゥーンならではの形式は、まるで映像のワンカット（ワンシーン）のようだ」と指摘した。

ウェブトゥーン原作のドラマ制作が増える理由の一つが、話題性だ。人気ウェブトゥーンをドラマ化すると発表されると、SNSではキャスティングなどへの関心が高くなり、それが初期視聴率までつながる効果がある。単行本などは正式な発行部数が公表されない場合もあるが、ウェブトゥーンは誰でも閲覧数が確認できる。読者は自分が好きだったウェブトゥーンのプロデューサーになった気持ちで、キャラクター設定から仮想キャスティングまでSNS上は一気に盛り上がりを見せる。いわゆるバイラル広報効果を自然にもたらすのだ。またウェブトゥーンとドラマを比較し、多様な意見が飛び交うことでおもしろ

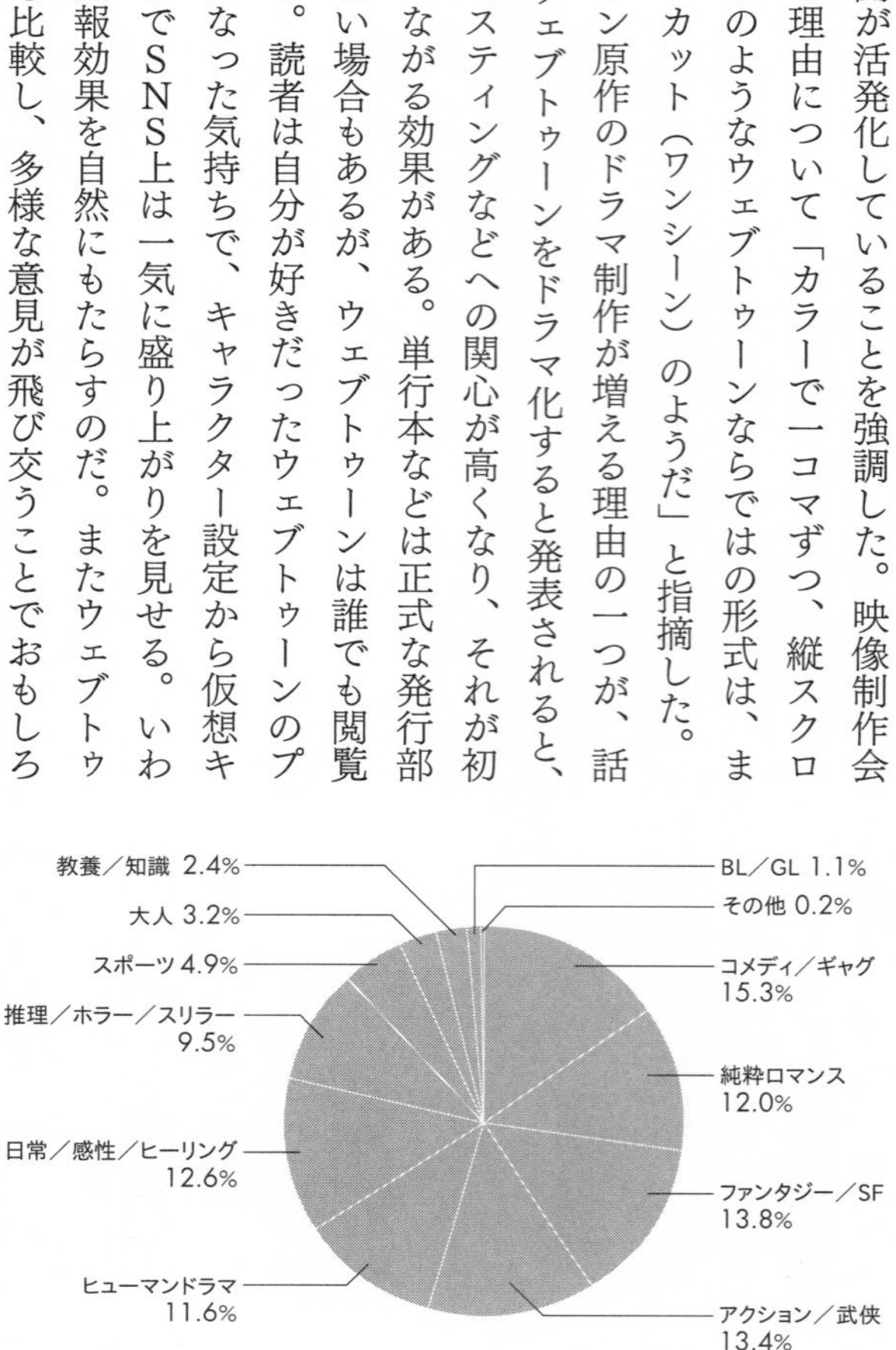

図 4-2　韓国ウェブトゥーンのジャンル別選好度（複数回答、%）
出典：韓国コンテンツ振興院「2021 年漫画・ウェブトゥーン利用者実態調査」

さがさらに増す効果も大きい。

もう一つの理由は多様な物語性だ。先述したように、ギャグ、ファンタジー、アクション、ヒューマンドラマ、恋愛、スリラー、時代劇、スポーツ、日常生活など、無限の世界を描くことができる。一時的に人気があるジャンルに偏って作品を揃えると、直接読者に届くウェブならではの特徴として、多様なユーザーのニーズを満足させることができない。インターネットポータルサイトに連載する作品として多様性が求められる。

一方、ウェブトゥーンに対して批判的な意見もある。シンプルな絵からはキャラクターの心理や感情などが理解しづらい。また、縦スクロールだから次にどんな展開なのかを予測できないということだ。これに対してユン氏は、ウェブトゥーンの読者は絵よりストーリーに関心が高く、連載を始めると作家は読者とともに作品を創作していくような感覚になるという。ウェブトゥーンは週1、2話を連載、1話あたり40~60コマを制作するために、徹底的な分業化システムが進化している。ストーリー企画、演出、作画、編集まで作品ごとにチームを構成して日程管理やすべての業務を可視化する。それぞれの担当業務が異なっても一つの作品のクリエイターとしてフィードバックや意思決定を共有する。このような徹底的な分業化と協業システムが、多様なジャンル、多様な物語を生み出していく。

ドラマ脚本の補助輪、ウェブトゥーンデビュー

どこの国でも同じだが、一本のドラマが制作されるまでの過程は非常に厳しい。巨大な費用と人材が必要な制作物であるからこそ、失敗は許されない。そのため、ドラマ作家としてデビューするためには放送局が主催するシナリオ公募が大きな機会となるが、門戸は狭い。その公募に選ばれたとしても最初は補助作家になり、経験を積み重ねたあとでメイン作家としてデビューできる。その道のりは長く、作家として成功することを難しくしているのは事実である。

一方、ウェブトゥーン市場が拡大している昨今においては、ウェブトゥーン制作会社主催による公募が数多くある。分業化がいち早く定着したウェブトゥーン市場では、ストーリー作家を募集し、ウェブトゥーンを制作したあとでドラマ化を狙う動きがある。デビューのしやすさとウェブトゥーンで成功するほうが稼げることなどから、ドラマ作家のウェブトゥーンへの進出が増えている。２０１０年から２０２２年までウェブトゥーンを原作としてドラマ化した作品は、全部で89件だ。地上波テレビでは29件、ＣＡＴＶ系列が44件、ＯＴＴが16件など、二次利用が非常に目立つ（図４−３）。

ウェブトゥーン市場が国内外で拡大するなか、限られたテレビ編成枠を目指して台本を

書くドラマ作家たちの間で新たな動きが出てきている。元々韓国ドラマは原作なしのオリジナル台本で制作されることが特徴で、ドラマが成功したあとにノベライズ化する動きが一般的だった。これにより、ドラマ作家、小説家、漫画家などの作家もしっかり線引きがされていた。しかし、ある時期からその境界が曖昧になった。その原因について、ある関係者はウェブトゥーンの成長とドラマ作家デビューの難しさを上げている。

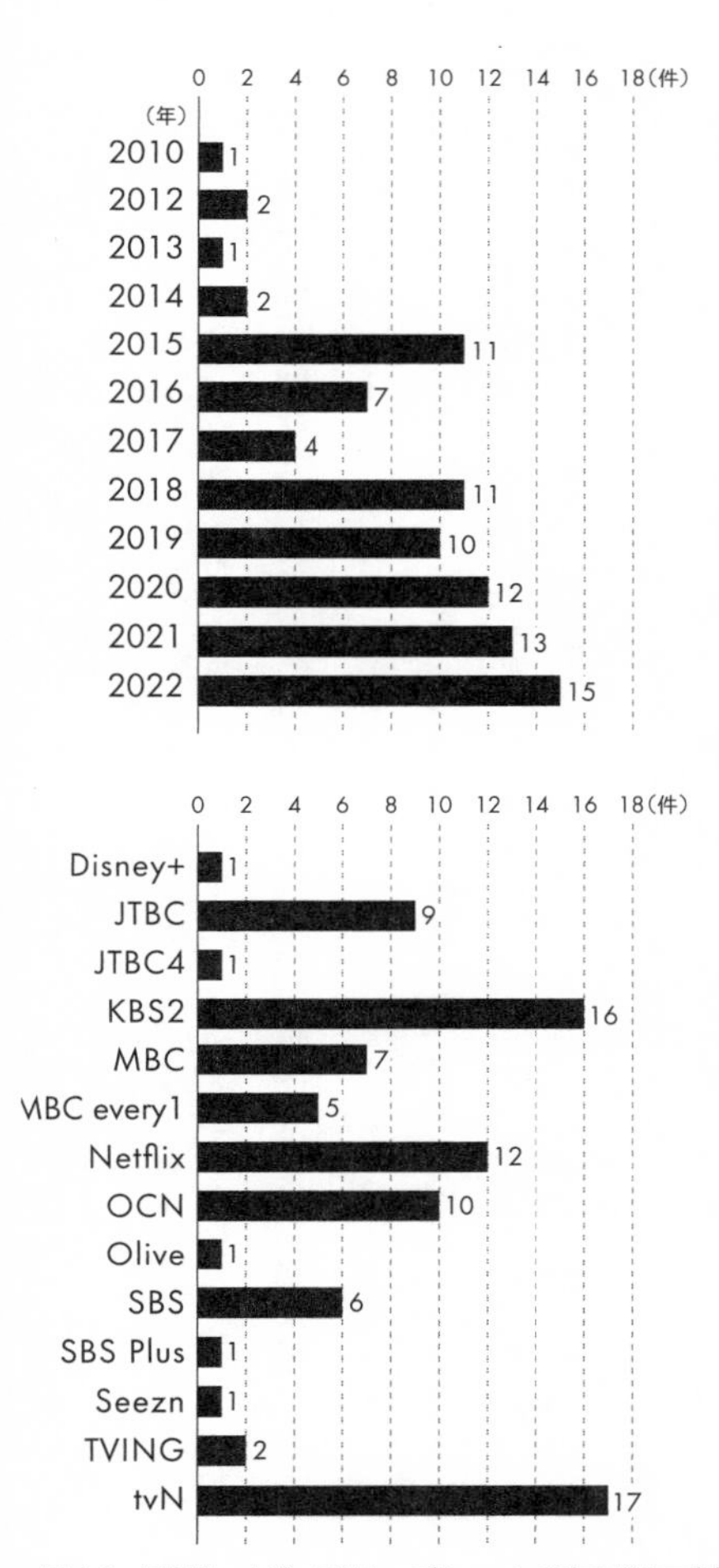

図 4-3　年度別、メディア別ウェブトゥーン原作のドラマ本数

2022 年 4 月時点で集計し作成（放送予定作品も集計したため実際の放送情報には変更がある可能性があります）

2019年に韓国発のゾンビものとして世界で人気を博したドラマ『キングダム』は、ドラマ作家キム・ウニ氏のウェブトゥーンデビュー作『神の国』を原作として作られた。『神の国』は2015年からウェブトゥーンで連載が始まっている。ゾンビという一般的でない素材であることと、特殊処理などの制作上のハードルが高く、制作費用の確保が難しいと判断したキム氏は、まずウェブトゥーンで作品を発表した。分業化が定着しているウェブトゥーンでストーリー作家を担当し、他作品と比べて12話という短い物語だが人気を集めた。その2年後、2017年にドラマ化が決定した。2019年にはNetflixにて配信がスタートし、世界視聴ランキング2位と注目を浴びて、韓国ドラマの代表作品となった。2020年はドラマのシーズン2の開始、また映画化など新たな展開があった。

前述のように、ウェブトゥーンを原作としてドラマ、映画などの映像化に発展する可能性が高くなっていることから、ドラマ作家、ドラマデビューを目指す若い作家たちの間で、作品のベンチマーキングとしてウェブトゥーンのストーリー作家として活動するケースが続々と出てきている。ウェブトゥーンで支持を得た作品をドラマ化する場合、ウェブトゥーンのストーリー作家をそのままドラマ作家として起用するケースが頻繁(ひんぱん)にある。たとえば、ドラマ『梨泰院クラス』の場合、ウェブトゥーンのストーリー作家がドラマの脚本を書き、『地獄が呼んでいる』ではウェブトゥーンから、ドラマの脚本、監督まですべて同じ人物が作り上げている。この流れは2010年代後半から徐々にあり、今ではドラマとウェブトゥーンの作家の境界線がなく、二つのジャンルに跨って活躍することで、より高いクオリティを保っている。

自分の作品を直接視聴者に届けるためには、視覚的に表現し、テーマや素材に縛られずに自由に創作活動が行えるウェブトゥーンがドラマ作家にとっての突破口となっている。また、ドラマ制作とは異なり、毎週更新するたびに読者の反応や感想を直接キャッチできることも、ストーリー展開に役立つという。

世界中のスマートフォンとテレビを占領する

世界中でスマートフォンのアプリケーションを通じてウェブトゥーンを読む時代が到来した。ネイバーウェブトゥーンは「LINEマンガ」や自社アプリを通じて北米、日本、東南アジアなど全世界で8200万人が利用する世界的サービスとして定着している。カカオ（旧ダウムコミュニケーション）のアプリケーション「ピッコマ」は、全世界を対象にした2021年消費支出トップ10アプリケーションのうち6位に位置するなど、成長の勢

表 4-4　ウェブトゥーン原作の韓国ドラマ（2010〜2022）
2022 年 4 月時点で集計し作成
（放送予定作品も集計したため実際の放送情報には変更がある可能性があります）

	放送期間（年）	タイトル	メディア	作家／原作
1	2022	禁婚令 朝鮮婚姻禁止令	MBC	チョン・ジヘ『禁婚令 朝鮮婚姻禁止令』
2	2022	金のさじ	MBC	HD3『金のさじ』
3	2022	明日	MBC	ラマ『明日』
4	2022	社内お見合い	SBS	NARAK『社内お見合い』
5	2022	心の宿題	JTBC	コ・アラ『心の宿題』
6	2022	猟犬たち	Netflix	J-Chan『猟犬たち』
7	2022	ユミの細胞たちシーズン 2	tvN	movin' Gun『ユミの細胞たち』
8	2022	アイランド	TVING	尹仁完／梁慶一『アイランド』
9	2022	優越な一日	OCN	Team Getname『優越な一日』
10	2022	内科パク院長	TVING	チャン・ボンス『内科パク院長』
11	2022	マスクガール	Netflix	メミ&ヒセ『マスクガール』
12	2022	アンナラスマナラ〜魔法の旋律〜	Netflix	HA『アンナラスマナラ〜魔法の呪文〜』
13	2022	配達人 〜終末の救世主〜	Netflix	イ・ユンギュン『宅配ドライバー』
14	2022	今、私たちの学校は…	Netflix	ドングリ『今、私たちの学校は…』
15	2022	ムービング	Disney+	カンプル『ムービング』
16	2021	その年、私たちは	SBS	ポリスマン 『その年、私たちは -青葉の季節-』
17	2021	恋慕	KBS2	イ・ソヨン『恋慕』
18	2021	遠くから見ると青い春	KBS2	ジニュン『遠くから見ると青い春』
19	2021	イミテーション	KBS2	RAN『イミテーション』
20	2021	復讐代行人〜模範タクシー〜	SBS	Carlos ／ KeuKeuJ.JL 『リコール〜復讐代行サービス〜』
21	2021	わかっていても	JTBC	ジョンソン『わかっていても』
22	2021	クライムパズル	OCN	Meen/ミサン 『Crime Puzzle 〜クライムパズル〜』
23	2021	ユミの細胞たち	tvN	movin' Gun『ユミの細胞たち』
24	2021	九尾の狐とキケンな同居	tvN	ナ『九尾の狐とキケンな同居』
25	2021	ナビレラ ーそれでも蝶は舞うー	tvN	HUN /JIMMY『ナビレラ』
26	2021	地獄が呼んでいる	Netflix	Yeon sang ho / Choi gyu seok『地獄』
27	2021	D.P. ー脱走兵追跡官ー	Netflix	キム・ボトン『D.P. 犬の日』
28	2021	君がくれた恋の詩〜カシリイッコ〜	Seezn	ラヒ、パク・ソンジェ『カシリイッコ』
29	2020	コンビニのセッピョル	SBS	ファルファサン、クムサゴン、 スギキハルミ『コンビニ のセッピョル』

	放送期間（年）	タイトル	メディア	作家／原作
30	2020	夕方一緒に召し上がりますか?	MBC	パク・シイン 『夕方一緒に召し上がりますか?』
31	2020	契約友情	KBS2	クォン・ラドゥ『契約友情』
32	2020	おかえり ただいまのキスは屋根の上で!?	KBS2	コ・アラ『おかえり』
33	2020	サムカプ屋台	JTBC	ぺ・ヘス『サムカプ屋台』
34	2020	梨泰院クラス	JTBC	クァンジン『梨泰院クラス』
35	2020	女神降臨	tvN	yaongyi『女神降臨』
36	2020	悪霊狩猟団: カウンターズ	OCN	Jang E『悪霊狩猟団: カウンターズ』
37	2020	RUGAL / ルーガル	OCN	Rel.mae『RUGAL～ルーガル～』
38	2020	メモリスト	tvN	ジェフ『メモリスト』
39	2020	Sweet Home－俺と世界の絶望－	Netflix	Carnby / Okome『Sweet Home』
40	2020	キングダム シーズン2	Netflix	金銀姫/梁慶一/尹仁完『神の国』
41	2019	偶然見つけたハル	MBC	muryu『偶然見つけた7月』
42	2019	ノクドゥ伝～花に降る月明り～	KBS2	ヘジンヤン『ノクドゥ伝』
43	2019	アイテム～運命に導かれし2人～	MBC	ミニョン、キム・ジュンソク 『ITEM(アイテム)』
44	2019	町の弁護士 チョ・ドゥルホ-罪と罰-	KBS2	ヘチリン『町の弁護士 チョ・ドゥルホ』
45	2019	ペガサスマーケット	tvN	キム・ギュサム『安いです 千里馬マート』
46	2019	他人は地獄だ	OCN	ヨンキ『他人は地獄だ』
47	2019	憑依～殺人鬼を追え～	OCN	フレッシャ、キム・ホンテ『憑依』
48	2019	恋するアプリ Love Alarm	Netflix	KYE YOUNG CHON『恋するアプリ』
49	2019	キングダム	Netflix	金銀姫/梁慶一/尹仁完『神の国』
50	2019	君を嫌いになる方法	JTBC4	ペク・イルス『君を嫌いになる方法』
51	2018	リピート・ラブ あなたの運命変えます!	KBS2	gold kiwi『死んでもいい リピート・ラブ』
52	2018	私の彼はエプロン男子 ～Dear My Housekeeper～	KBS2	スン・ジョンヨン 『あなたのハウスキーパー』
53	2018	KBSドラマスペシャル－マグロとイルカ	KBS2	イヒン『マグロとイルカ』
54	2018	私のIDはカンナム美人	JTBC	メンギ『私は整形美人』
55	2018	とにかくアツく掃除しろ! ～恋した彼は潔癖王子!?～	JTBC	AENGO『掃除の妖精におまかせ! ～とにかくアツく掃除しろ～』
56	2018	ピンポン玉	JTBC	チョ・グムサン『ピンポン玉』
57	2018	ケリョン仙女伝～恋の運命はどっち?～	tvN	トルベ『鶏龍仙女伝』
58	2018	ラブ・トライアングル～また君に恋をする	OCN	蘭/つかさ『やきもき』
59	2018	ウンジュの部屋～恋も人生もDIY!～	Olive	ノラングミ『ウンジュの部屋』
60	2018	トップスター・ユベク 同居人はオレ様男子	tvN	ミソ『パラダイス』

	放送期間（年）	タイトル	メディア	作家／原作
61	2018	サウンド・オブ・ハート：リブート	Netflix	趙爽『ココロの声』
62	2017	ゴー・バック夫婦	KBS2	ミティ、ググ『もう一度よ』
63	2017	君を守りたい～SAVE ME～	OCN	チョ・グムサン『世界の外へ』
64	2017	メロホリック～恋のプロローグ～	OCN	Team Getname『メロホリック』
65	2017	甘くない女たち ～付岩洞〈プアムドン〉の復讐者～	tvN	ライオンウサギ 『付岩洞復讐者ソーシャルクラブ』
66	2016	サウンド・オブ・ハート	KBS2	趙爽『ココロの声』
67	2016	ウチに住むオトコ	KBS2	ユ・ヒョンスク『ウチに住むオトコ』
68	2016	運勢ロマンス	MBC	キム・ダルニム『運勢ロマンス』
69	2016	町の弁護士 チョ・ドゥルホ	KBS2	ヘチリン『町の弁護士 チョ・ドゥルホ』
70	2016	キスして幽霊！～Bring it on, Ghost～	tvN	イム・インス『戦おう、幽霊』
71	2016	恋はチーズ・イン・ザ・トラップ	tvN	soonkki『チーズ・イン・ザ・トラップ』
72	2016	Webtoonヒーローツンドラショーシーズン2－ 花の家族	MBC every1	無敵ピンク『朝鮮王朝実トーク』
73	2015	Webtoonヒーローツンドラショーシーズン2－ 朝鮮王朝実トークシーズン2	MBC every1	イ・サンシン『花の家族』
74	2015	オレンジ・マーマレード	KBS2	佑『オレンジマーマレード』
75	2015	匂いを見る少女	SBS	マンチ『匂いを見る少女』
76	2015	ジキルとハイドに恋した私 ～Hyde, Jekyll, Me～	SBS	イ・チュンホ『ジキル博士はハイド氏』
77	2015	ラスト－LAST－	JTBC	カン・ヒョンギュ『ラスト』
78	2015	錐	JTBC	チェ・ギュソク『錐』
79	2015	パパはスーパースター？	tvN	イ・サンフン、チン・ヒョミ 『スーパーダディ、ヨル』
80	2015	ホグの愛	tvN	ユ・ヒョンスク『ホグの愛』
81	2015	Webtoonヒーローツンドラショーシーズン1 －朝鮮王朝実トーク	MBC every1	無敵ピンク『朝鮮王朝実トーク』
82	2015	Webtoonヒーローツンドラショーシーズン1 －清純な家族	MBC every1	キアン84『清純な家族』
83	2015	Webtoonヒーローツンドラショーシーズン1 －私の男は育児支援ヘルパー	MBC every1	キム・ジェハン 『私の男は育児支援ヘルパー』
84	2014	ドクターフロスト	OCN	イ・ジョンボム『ドクターフロスト』
85	2014	ミセン-未生-	tvN	ユン・テホ『ミセン-未生-』
86	2013	となりの美男〈イケメン〉	tvN	ユ・ヒョンスク『私は毎日彼を盗み見る』
87	2012	美男＜イケメン＞バンド ～キミに届けるピュアビート	tvN	チェ・イェジ『黙ってイケメンバンド』
88	2012	あなたを愛してます	SBS Plus	カンプル『あなたを愛してます』
89	2010	メリは外泊中	KBS2	ウォン・スヨン『メリは外泊中』

いは止まらない。ピッコマが市場に参入する2016年の数年前から、日本ではすでにデジタル漫画やデジタル書籍サービスのプラットフォームが100個以上存在していた。後発として事業展開をするにあたっては差別化の戦略が必要となった。カカオジャパン代表取締役キム・ジェヨン氏は「日本製のほとんどの作品は白黒のものだが、ウェブトゥーンはカラーの縦スクロールで操作することが特徴だ」という。「どこでもいつでも気軽に消費するスナックカルチャーとしてウェブトゥーンは愛好されている」と指摘した。[*15]

ネイバーウェブトゥーン総括のキム・シンベ氏は、ウェブトゥーン市場を拡大する理由について、IPビジネスとしての可能性を取り上げた。[*16] LINEマンガのウェブトゥーンIPをドラマ、映画、アニメなどに映像化するプロジェクトに注力するようだ。日本の放送局や配信サービスプラットフォームと協業し、重点作品は製作委員会を構成するなど、2022年だけで10作品の展開を進めている。2020年、日本を含む全世界に配信された日本テレビアニメ『神之塔 Tower of God』『Noblesse ノブレス』『THE GOD OF HIGH SCHOOL ゴッド・オブ・ハイスクール』もネイバーウェブトゥーンが原作だ。

＊15　2020韓日コンテンツビジネスオンラインフォーラム（2020・11・12）
＊16　関連記事　https://www.mk.co.kr/news/it/view/2022/04/329191/

韓国のウェブトゥーンは、ドラマ化、映画化によって世界中のテレビを占拠してきている。2021年全世界の注目を浴びた『イカゲーム』とともに、Netflixの上位に位置した『地獄が呼んでいる』『今、私たちの学校は…』はウェブトゥーンが原作だ。日本ではドラマ『梨泰院クラス』が未だにデイリーランキング10位以内を維持し、日本版ドラマもリメイクされた。

ウェブトゥーンはメディアに適合して物語を楽しませ、そこから新たな物語を創り出すことができる無限の可能性を持つ。またドラマ化、映画化など、IPの拡張により新たなビジネスモデルと市場拡大が期待できる。

衰退する市場環境に直面しても諦めることなく時代の変化に適合し、個々のクリエイターとユーザーの中から自然発生的に誕生し、独自の進化を見せたウェブトゥーンは、さらに映像という異業種の制作過程にまで独自の融合を見せ、新たなビジネスモデルを確立するまでに成長を遂げた。今後さらなる進化を進めながら、次世代のグローバルコンテンツに成長していくと確信している。

第5章

韓流の底力、人材育成

大学進学率70%以上、韓国人にとって大学とは

韓国人が強く意識することに「居住地」「車の種類」「学歴」がある。これらは階級社会であった韓国の歴史と文化がもたらしたものだと考えられる。朝鮮王朝時代、当時の首都である漢陽（ハニャン）（ソウル）には4つの大門があり、4つの大門に囲まれた地域には限られた人しか住めなかった。身分制度があったため、王侯貴族など上流階級の人々が多く住んでいた。移動手段も歩く人、駕籠（かご）に乗れる人、馬に乗れる人など身分によって様々で、科挙（公務員試験）の受験資格も身分によって様々だった。こうした身分による住まいや乗り物、教育の違いは、韓国人の心のどこかに潜在しているのかもしれない。

ドラマ『SKYキャッスル 上流階級の妻たち』は、我が子を名門大学に入れたい親たちの受験戦争を描き、社会現象にもなった人気作品である。ドラマチックな設定や過剰な表現があるものの、子どもの大学受験にかける親の情熱はリアルに近いものがあるだろう。脚本を担当したユ・ヒョンミ氏は、自分の子どもの大学受験のときに初めて入試カウンセリングを知り、自分の経験をもとに韓国の教育の現実を描きたいと思ったという。

韓国の教育部の調査によると、2021年の高等教育（大学）への進学率は71・5%で、

前年比1・1%増、2012年以来過去10年間で最高の進学率で、毎年上昇傾向にある。[*17] OECD（経済協力開発機構）の教育分野の年次統計によると、韓国の20~30歳の大卒者の割合は69・8%（OECD加盟国中1位）である。一方、50~60歳の大卒者の割合は25・1%に過ぎない（OECD平均は29・1%）。これは、近年における急激な進学率の上昇を物語っている。

韓国の統計開発院が毎年発表している「国民生活の質2021」によると、25~64歳の成人のうち、短大・大学を卒業した人は2005年の23・8%から2020年には50・7%と、15年間で2倍以上に増加した。[*18] 高等教育の修了率はOECD平均（39・0%）より11・7ポイント高い。2005年と比較すると、OECD諸国の平均高等教育修了率は15年間で12・7ポイント上がっているが、韓国は19・1ポイントと大幅に上昇している。

高等教育を受けた人口の割合が高いということは、社会の教育水準が高く、教育機会に恵まれた人たちが多いことを意味する。また、一流大学の卒業生は、将来エリート企業に就職し、安定した生活を送ることが期待される。しかし、韓国の若者の雇用実態を見ると

＊17 https://www.index.go.kr/potal/main/EachDtlPageDetail.do?idx_cd=1520
＊18 https://www.kostat.go.kr/portal/korea/kor_nw/1/1/index.board?bmode=read&aSeq=417249

そうではない。2021年15~29歳の経済活動人口の失業率は7・8%、雇用率は前年度比2・0ポイント上昇したが、44・2%にとどまり、2014年から2020年の若者の失業率はほぼ9・0%を超えると見られる。[*19]

高等教育を受けたからといって、必ずしも卒業後に希望する職場に就職できるとは限らない。だが間違いなく、予備社会人として大学でしっかり勉強して、卒業後にきちんとした仕事に就くべきという考え方が韓国には定着している。韓国で高等教育を受ける人の割合が高いのは、「自分の力で自分の未来を切り開きたい」と考えているからだ。しかし残念ながら、社会がそれに見合った優雅な雇用環境や新しい雇用構造を提供することができていない。

韓国人にとっての大学とは、ドラマによくあるような、名門大学を卒業し、一流企業に就職し、韓国一の高級住宅地である江南に住み、高級車を所有する美しい主人公になるためのものだろうか。

韓国人のほぼ半数は、学校教育が人生・仕事・職業に良い影響を与えると信じている。学校教育の効果に関する「国民生活の質2021」調査では、「生活・仕事・職業に活かす

*19　https://www.index.go.kr/potal/main/EachDtlPageDetail.do?idx_cd=1495

効果がある」と回答したのは40・2%で、2018年の35・6%から4・6ポイント増加した。年齢層による違いもあり、学生世代の13〜19歳が47・9%と最も高く、60歳以上では47・2%である。

教育は国家の百年の計と言われる。教育は知識を得るための過程であると同時に、新しい知識を創造するための原動力でもある。社会的な側面では、生活の質の格差を埋め、個人の潜在能力を発揮させるために不可欠な社会的な手段とみなされている。

教育に関する考え方は、昔からあまり変わっていない。名門大学を卒業すれば、一流企業に就職でき、社会から認められる優秀な人材になり、それがお金をもたらす、ということである。教育は富と繁栄の扉を開く手段の一つかもしれないが、現実の大学入試は人生全体に影響を及ぼすほど厳しい。

高学歴の芸能人、そして韓国へのエンタメ留学

私は日本に長く滞在しているため、韓国の身近な情報でもインターネットで検索しなければならない。韓国のドラマや映画を見るときは、知らない俳優のプロフィールやフィルモグラフィーを調べる。

新しいアーティストグループが次々とデビューすると、メンバーの顔と名前だけでも覚えることに精一杯だ。彼らのプロフィールには最終学歴が記されているが、ほとんどが大卒で中には修士号を取得している人もいる。演技、演劇、映画、美術、放送、舞台芸術など活動に直結する専門学科も多いが、経営、経済、哲学などを専攻した人もいる。

K－POPの世界的な発展のパイオニアともいえるSMエンターテインメントの創業者イ・スマン氏は国立のソウル大学を、JYPエンターテインメントの代表パク・ジニョン氏は名門私立の延世大学を卒業している。第74回プライムタイム・エミー賞で、ドラマ・シリーズ部門の主演男優賞を受賞した『イカゲーム』の主演イ・ジョンジェ氏は、演劇および芸術関連の大学として有名な東国大学の演劇映画学科の卒業生だ。

ちなみにK－POPグループは、10代からの研修生生活のため俳優やタレントに比べて大学進学率は低いものの、オンライン大学（4年制）に進学する傾向がある。BTSのメンバーの6人も「グローバルサイバー大学」というオンライン学校に入学し、「BTS university」と名乗っているそうだ。[20] BTS以外にも、TOMORROW X TOGETHER（トゥモロー・バイ・トゥギャザー）、ONEUS（ワンアス）、ASTRO（アストロ）、EXID（イーエックスアイディー）、Block B（ブロックビー）、Wanna One（ワナワン）など、多くのアイドルグルー

＊20 https://www.global.ac.kr/

プのメンバーが在学している。

2022年8月、韓国に一時帰国したときに一人の若者と出会った。かつては子役として活躍し、中学校は海外留学、高校は韓国の芸術高校に通い、再び海外留学している大学一年生だった。彼は映画監督になるために韓国の大学を再受験すると言う。目標は韓国で唯一の国立芸術大学である「韓国芸術総合学校」への編入だった。[*21] 韓国の芸術大学は、芸術や芸能に特化しており、実践的である。かつて映画業界では、ハリウッドなどアメリカに留学することが世界的なクリエイターになるための一つのステップであったが、今は韓国の大学のカリキュラムや実習が充実していると話してくれた。ローカルな物語で、哲学的な映像づくりが世界の映画界のトレンドであり、韓国の映画や映像制作のレベルはアメリカのハリウッドと肩を並べるほど高い。演劇が役者の芸術なら映画は監督の芸術だと強調し、将来のビジョンとして「30歳の映画監督」を目指していた。

歌手を目指す外国人が、K-POPのマネジメント会社のオーディションを受けるために韓国に来たり、デビューのための研修生として韓国で過ごしたりするニュースを耳にする。2022年2月、韓国政府は「外国人文化人材誘致」という名目の「韓流ビザ」の発

*21 http://www.karts.ac.kr/index_karts.jsp

行を検討していると発表した。[22]「韓流ビザ」とは、従来の韓流文化を学ぶための韓国の大学への入学やK－POPマネジメント会社との契約というビザ発給の条件を緩和し、ダンススクールなどの私設教育機関に登録すればビザが発給される制度である。

映像制作を学ぶために韓国に留学するというのはあまり想像できなかったが、韓国で映画を学ぶ留学生は増加傾向にあるようだ。釜山(プサン)アジア映画学校（Busan Asian Film School）は、地域の映画産業の発展と世界の映画人の育成を目的に設立された映画・映像専門教育機関である。[23] 正式な高等教育機関ではなく、3ヶ月の実務研修で構成されている。日本人を含め、海外からやってくる映画産業に携わる人は年々増えているのだ。カリキュラムは、オンラインとオフラインに分かれていて、国籍を問わず制作のサポートを受けることができる。

最近、韓国への留学を希望する人のなかには、語学だけでなく、音楽、映画、映像などのエンターテイメントを勉強しに行きたいと考えている人もいる。これは、日本のアニメやゲームが好きで日本への留学を決めるのと同じ現象である。私も日本のメディアや情報・

＊22　関連記事　https://www.chosun.com/national/national_general/2022/02/03/E2HLVAPYARB7BMOXTLDUCGGCDM/
＊23　http://www.afis.ac/eng/main/IndexView.do

記録のアーカイブに憧れ、日本への留学を決意した。留学を準備するときに先輩の言った言葉を思い出す。「なにかを好きな人は、それについて知識がある人に勝ち、楽しんでいる人は好きな人に勝つ」。日本のアニメーションにしろ、韓国のＫ－ＰＯＰや映画にしろ、楽しみたい人が留学の道を切り開くのだと思う。

ポン・ジュノ監督を輩出したＫＡＦＡ

2020年2月、韓国映画界を超え、世界の映画界の新たな歴史となる出来事があった。映画『パラサイト 半地下の家族』が第92回アカデミー賞で、最高賞の作品賞をはじめ、監督賞、脚本賞、国際映画賞（旧外国語映画賞）の4つのトロフィーを獲得した。英語圏以外の作品が作品賞を受賞するのは、92年のアカデミー賞の歴史上初めてのことであった。保守的と批判されるアカデミーの最後の砦とされてきた言葉の壁さえも突破し、新たな可能性を切り開いた意義は大きい。

ポン・ジュノ監督の受賞によって注目されたのが、1984年に韓国政府の文化体育観光部が映画界のプロを養成するために設立した、韓国を代表する映画学校「韓国映画アカデミー」（Korean Academy of Film Arts、以下ＫＡＦＡ）である。[24]韓国を代表する映画学校であり、映画産業の専門人材を育成することを目的としている。文化体育観光部傘下の特殊法人である韓国映画振興委員会（ＫＯＦＩＣ）が運営する。ポン・ジュノ監督をはじめ、韓国映画を代表する多くの監督たちがここで誕生した。カリキュラムは、正規課程、事前制作課程、長編課程、技術課程、グローバル課程の5つに分けられて、それぞれの課程が連携するプロジェクトを導入している。たとえば、事前制作課程はシナリオや制作計画書を完成することで正規課程や長編課程と連携する。長編課程は劇映画とアニメーションを制作し、グローバル課程は国際交流と国際共同制作の機会を提供し、海外の映画人とのネットワーキングを深めている。

ここで、正規課程の詳細を紹介する。演出／撮影／アニメーション／プロデューシング、4つの専攻で構成されており、すでに映画業界で経験を積みそのポテンシャルを立証した人を対象としている。カリキュラムは集中的かつ体系的で、制作現場で必要とされる中核的な人材の育成を目指す。演出専攻の学生は12名以下の小人数で、撮影／アニメーション／プロデューシングの学生は各6人以下で、約1年間学ぶ。在学中に厳しい選考を受け、

*24 https://www.kafa.ac/main.do

合格した学生にはよりクリエイティブな仕事に専念する機会が与えられる。演出専攻は、映画制作や映画技術分析を含め、音楽・同時録音などの技術の一般的な授業に加え、映画祭の運営、配給実務、著作権など、幅広く扱う。専攻期間を3ヶ月のクォーター単位で分け、クォーターごとに制作実習と評価を積み重ね、集大成として作った最終作品の制作・上映・評価を行う。1年間で3本程度の短編映画を作って、学校は作品ごとに制作費の支援を行う。2021年の基準では、1クォーターの実習作品は150万ウォン、2クォーターは200万ウォン、卒業作品は1200万ウォンとされている。

入学条件はどのようなものなのか。まず、国籍・学歴・年齢に関係なく志願できる。正規課程はすべて釜山キャンパスで授業を行うため、希望者には無料で宿泊寮が提供される。授業料は年間200万ウォンで、編集スタジオやカメラなどの撮影機材を自由に使用でき、映画業界で活躍する現役講師による講義もあり、十分な制作費に支えられた短編映画を3本以上制作することができる。卒業生の9割が映画産業の仕事に就くようだ。

学校の運営費の一部は、映画発展基金で賄われている。映画発展基金とは、「映画およびビデオ物の振興に関する法律」に基づき、映画芸術の質的向上と韓国映画および映画・ビデオ物産業の振興・発展のために設置した基金である。財源は国家予算、個人や企業からの寄付、劇場チケット代などへの課金、ファンドの運用による収入などで構成される。映画館で映画が上映されると、チケット代の3％が映画発展基金として徴収され、韓国映画アカデミーの次世代育成事業に活用される。チケットには必ず「映画発展基金3％含む」という文言が書かれている。映画界の萌芽的人材を育成する政府の方針と、国民自ら映画産業と人材を支援するシステムのおかげで、彼らはよりクリエイティブな仕事に集中できる。

2017年に韓国映画アカデミーで授業をしたポン・ジュノ監督は、学生に観客の存在についてこのように話す。[25]

「観客の前では、いろいろな不安を感じます。映画制作者だけでなく、プロデューサー、とくに投資や配給を担当する人たちは、さらにその度合いを強めています。観客に対する大きな恐怖心があり、この間違った恐怖心がいろいろなものを破壊しているのだと思います。観客を知らない、観客の本当の姿を知らないということを自ら認めることで、観客から解放されるのです。観客の反応は誰にも予測できないし、どうせ予測できないのなら、自信を持ってやってください。自分に正直になることがいちばんです。自分を満足させる

＊25　https://youtu.be/DWYXS3sA1Lk

ように

です」

全国

私は

を行った。取材対象はコンテンツ見本市、国際映画祭、eスポーツ会場、コンテンツ特区、人材育成や起業支援施設など、多岐にわたった。中でも印象的だったのは、2014年にソウルに最初のセンターが設立され、ソウル以外に15カ所の拠点を持つ「コンテンツコリアラボ」(Content Korea Lab、以下CKL)だ。京畿道、忠清北道、忠清南道、全羅南道、蔚山、大田、済州、慶尚北道、全羅北道、慶尚南道、仁川、江原道、光州、大邱、釜山に設置されている。ソウルは韓国コンテンツ振興院が、他の地域はそれぞれ現地の産業関連の組織が運営する。最初に訪れたのは、釜山CKL。釜山情報産業振興院が運営する釜山CKLは、2014年に開所し、釜山市の財源支援がある。地域、人材、企業、産業をつなぐ新たな融合コンテンツを創出することにより、地域文化の発展を目指すものである。

CKLは、「想像力」が「創造力」となり、「創造力」が「起業」につながるような環境

星海社新書

を作るために設立された。革新的なアイデアを持つ人は、アイデアを共有し、試作品の制作支援を受け、想像力を発展させることができる。また、起業を志す人は、スタートアップ支援プログラムを通じて、起業のための支援を受けることができる。ＣＫＬは、韓国のコンテンツスタートアップインキュベーターとして、コンテンツ関連の活動をアイデアから起業までワンストップで支援するサービスを行っている。

ソウルのセンターはのちに「ＣＫＬ起業支援センター」と改称して、①創作アイデアの事業化支援、②段階的な起業支援・育成、③コンテンツスタートアップの海外進出のための支援・育成、④コンテンツ企業の入居支援を行う。映像編集や撮影などの制作施設、入居オフィス、会議室、ステージなどを予約して無料で利用できる。投資相談のコンテンツ価値評価センター、海外進出支援センター、雇用センターが同じ建物にあり、ワンストップ支援サービスとして理想的な空間を維持している。

とくに、入居する企業には様々な特典が用意されている。契約期間中、１００％のオフィス賃貸料サポート、ＯＡ室、休憩室、シャワー室、会議室の無料利用がある。オフィスは24時間、年中無休で利用でき、教育やネットワーキングのプログラム、プロモーションまでをサポートする。地域のＣＫＬは、地域基盤に特化した専門的な産業支援が際立っている。京畿道では医療・医学とコンテンツの融合、仁川では音楽、美容、ロボット、大邱では芸術と先端技術の融合による新ジャンル開拓など、地域の特徴と成長に合わせてビジョンや支援策も多様化している。

2017年3月、東京・竹芝地区で産学官連携の仕組みづくりに取り組む合同団体「CiP協議会」と韓国コンテンツ振興院が、デジタルコンテンツ産業の発展に向けた枠組みを構築した。両国のコンテンツスタートアップの交流拡大と海外展開の支援に関する業務協約を締結した。[*26]日本からは東急不動産、鹿島建設、乃村工藝社、ネストビジュアル、日本総合研究所、慶應義塾大学大学院メディアデザイン研究科が同日に参加し、産学官共同プロジェクトについて意見交換を行った。両者は、講演やビジネスコンテストへの参加など、国際的な人的交流を続けていった。

韓国のコンテンツ教育機関の現況

2022年夏、早稲田大学国際和解学研究所が主催した「国際和解映画祭2021」の

*26 https://cipcipcip.org/information/mou_kocca/

映像コンペティションで優秀賞を受賞した『Ganache』のチェ・ハンナ氏に会った。[*27] 彼女は2年制の美術大学で映像デザインを専攻し、今年からケーブルテレビの子ども向けチャンネルで新人ディレクターとして働き始めた。数年働いた後に4年制大学に編入するため資金を貯めているとのことだった。希望の専攻を尋ねると、意外な答えが返ってきた。彼女は映像やメディア関連の専攻ではなく、社会学や哲学など人文系の勉強をしたいようだ。高度な技術で作られた映画でも、価値観や理念が欠けていれば、映画のメッセージは観客に届かず、共感してもらえない。これからは「感動」ではなく、「共感」の時代だと語った。

チェ・ハンナ氏とともに企画部門の受賞者だったキム・ミンジ氏。私立大学の文化コンテンツ学科4年生の彼女は、映画『クルミの実にはアーモンドがならない』の企画を出品した。私が会ったときは、韓国の政府機関から約300万円の支援を受け、ドラマ3部作（1話10分）を制作していた。卒業後は、コンテンツやメディアの会社に就職するのではなく、仲間と一緒にドラマ制作会社を立ち上げたいと語った。

映像デザイン専攻からテレビ局へ、文化コンテンツ専攻からドラマ制作スタートアップへ、この二人は大学の専攻と就職先が100％マッチングしている。

---

*27 https://youtu.be/1_e9mAYFiBo

では、韓国にコンテンツ関連の教育機関がどのくらいあるのか、二人のような卒業後のコンテンツ企業への就職率はどの程度なのだろうか。韓国コンテンツ振興院が発表した「2017年コンテンツ教育機関および人力需要現況調査」によると、コンテンツ関連学部を持つ高等教育機関は、2012年の384校から2017年には464校に増加した。これは、高等教育機関の総数1562校の29・7％に相当する（表5－1）[*28]。

コンテンツ関連学科を有する高等教育機関のジャンル別構成比は、放送（28・7％、310校）、音楽（11・6％、125校）、公演（10・9％、118校）、広告（9・8％、106校）、コンテンツソリューション（9・6％、104校）の順である。

コンテンツ系学科の構成は、放送（34・2％、507）、公演（12・1％、179）、音楽（11・1％、164）、コンテンツソリ

*28 https://www.kocca.kr/kocca/bbs/list/B0000147.do

区分	コンテンツ関連					
	学校数				比率	
	専門大学	大学	大学院	合計	構成	増減
2012	63	133	188	384	24.5	—
2013	82	140	190	412	26.0	7.3
2014	79	138	204	421	26.5	2.2
2015	85	147	214	446	28.3	5.9
2016	85	155	231	471	29.8	5.6
2017	84	153	227	464	29.7	−1.5
2012～2017増減（年平均成長率）	21	20	39	80	5.2	—
	5.9	2.8	3.8	3.9		

表5-1　韓国の高等教育機関の現況（2012～2017）（単位：校、％）
出典：韓国コンテンツ振興院「2017年コンテンツ教育機関および人力需要現況調査」

ユーション（9・4%、140）、広告（8・6%、127）の順である。学科の学生構成は、放送（35・5%、61471人）、広告（11・2%、19402人）、コンテンツソリューション（10・7%、18529人）、音楽（10・3%、17893人）、公演（8・3%、14407人）である（表5－2）。

実際、コンテンツ関連学科を卒業した後の就職率はどの程度なのか。2015年度のコンテンツ関連学科卒業者の就職率は62・1%（大学院（69・9%）、大学（63・6%）、専門大学（59・3%））で、全学科就職率67・5%よりも5・4ポイント下回っている。学科のジャンル別就職率は、コンテンツソリューション（67・3%）、知識情報（65・5%）、映画（64・8%）、広告（63・5%）、放送（63・2%）、公演（61・2%）、ゲーム（60・7%）の順で高い。また、キャラクター（52・9%）、出版（54・

区分		学校		学科		学生数	
		数	構成比	数	構成比	数	構成比
合計		1,080	100	1,483	100	173,286	100
ジャンル	出版	80	7.4	87	5.9	9,169	5.3
	漫画	12	1.1	15	1.0	4,133	2.4
	音楽	125	11.6	164	11.1	17,893	10.3
	映画	59	5.5	65	4.4	9,883	5.7
	ゲーム	42	3.9	52	3.5	7,912	4.6
	アニメーション	40	3.7	48	3.2	4,428	2.6
	放送	310	28.7	507	34.2	61,471	35.5
	広告	106	9.8	127	8.6	19,402	11.2
	キャラクター	0	—	0	—	238	0.1
	知識情報	84	7.8	99	6.7	5,821	3.4
	ソリューション	104	9.6	140	9.4	18,529	10.7
	公演	118	10.9	179	12.1	14,407	8.3

表 5-2　ジャンル別の高等教育機関の現況（2017）（単位：校、学科、人、%）
出典：韓国コンテンツ振興院「2017 年コンテンツ教育機関および人力需要現況調査」

1％）、音楽（55・3％）、漫画（58・7％）、アニメーション（59・6％）は5割台である（表5－3）。

コンテンツに関連する経験を積んでいるにもかかわらず、全学科の就職率を下回っている状況は、業界の現場にも影響を与えている。2020年2月に発表された「コンテンツ産業雇用変動調査」によると、2018年のコンテンツ産業の求人規模は7600人で、新卒が3900人、キャリア卒が3700人である。[*29]

一方、コンテンツ関連学科の新卒者は13400人で、新卒者求人の3倍強となっている。そして中小企業の人手不足は続いている。これは企業側に人材育成の余力がなく、経験者を望む傾向が強いからである。企業規模によって人材の需要と供給のバランスが崩れているケースがある。

*29 https://www.kocca.kr/kocca/bbs/list/B0000147.do

区分		就職対象者	就職者	就職率(A)	フリーランスを除き就職率(B)	A－B
合計		25,558	15,881	62.1	51.9	10.2
ジャンル	出版	1,327	718	54.1	43.0	11.2
	漫画	555	326	58.7	47.2	11.5
	音楽	2,627	1,454	55.3	36.7	18.7
	映画	1,166	755	64.8	44.6	20.2
	ゲーム	960	583	60.7	57.0	3.7
	アニメーション	793	473	59.6	52.0	7.7
	放送	8,968	5,670	63.2	53.6	9.7
	広告	2,930	1,861	63.5	57.5	6.0
	キャラクター	68	36	52.9	52.9	0.0
	知識情報	1,065	698	65.5	60.7	4.9
	ソリューション	2,773	1,867	67.3	63.4	4.0
	公演	1,747	1,069	61.2	41.6	19.6

表5-3　コンテンツ関連学科の就職現況（2017）（単位：人、％）
出典：韓国コンテンツ振興院「2017年コンテンツ教育機関および人力需要現況調査」

人材不足が最も反映されるジャンル別の職種を調べたところ、出版ではデザイン、編集、講師、コンテンツプランナーの順で人材が不足していることが分かった。漫画では、アニメ・ウェブトゥーン作家、編集、デザイン、コンテンツ企画、映像化の企画・制作関連の人材が足りないとの回答が多い。反面、ゲームの場合は、広報／マーケティング、プログラミング／テクニカルディレクター、ＵＩ／ＵＸ／ＢＸデザインなどの企画職が不足していると回答した。

雇用の偏りの要因はコンテンツ事業者に中小企業が多く、経験者を職歴に基づいて即戦力で採用する需要が高く、新しい人材の就職先が見つかりにくいことである。求人を出しているコンテンツ会社の約半数が、実務経験のあるクリエイターの入社を希望する。このようなコンテンツ産業の雇用構造の問題を解決し、雇用を活性化するためには、産業と教育をつなぐパイプラインと、さらに専門化のための仕組みが必要である。

新型コロナウイルスの影響で、経済的な理由で大学を退学せざるを得なくなった学生もいる。また、キャンパスライフにおけるモチベーションの低さも散見される。これを克服するためには、実際の学習やキャンパスでの生活において、新しい価値を創造する必要がある。つまり、教育のあり方を再構築することである。体験型のグローバル人材育成、社会貢献を前提とした課外活動、スクールロイヤリティを抑制する入学インセンティブ、質の高いインターンシップなど、学生が積極的に学習に取り組むための支援環境である。産学連携、実践的なプロジェクトの推進、社会実装の取り組みなど、実践的な教育を通じて専門的な成果を上げることが必要だ。

「人」が創るコンテンツ産業、「人」を創るコンテンツ産業

１９９７年、ＩＭＦの経済救済期間を乗り越えるため、韓国は21世紀の基幹産業として文化産業の基礎づくりに着手した。コンテンツを文化産業の資源として発展させ、それを創造する専門人材を育成した努力の結果、コンテンツは確かに韓国で経済的にも文化的にも必要な基幹産業となった。コンテンツ産業は、まるで無から有を生み出すかのように、新しいモノを生み出している。想像力による創造と革新が行われるこのコンテンツ産業で重要な要素は「人」である。コンテンツ産業において大きな可能性を秘めた人材の価値は、決して機械やお金に置き換えることはできないはずだ。

コンテンツ産業では、常に様々な失敗が起こり得る。しかし、大きな変化の種をまくことができるのは、それを恐れず悔やまないコンテンツ業界の「人」である。本当に変化の

多い時代だ。今、求められているのは、変化に柔軟に対応でき、コミュニケーションの変化を把握する力を持った「人」である。

これからのコンテンツ産業を切り開く資質を持つ人材とはなにか。

コンテンツ業界で出会った「人」は、同じように心に抱いた夢を叶えることができ、夢を叶えることを恐れていない「人」たちだった。感動より共感、単独より共同、競争より協調、そしてなによりも融合とコミュニケーションを大切にする「人」たちであった。その「人」は、自分が作ったコンテンツを通じて、真正性（Authenticity）であることを認識する。変化する世界の中で揺るがない真正性は、洗練された演出や最新の技術をもってしても生み出すことはできない「人」の大切な資質だろう。

国境と専攻の間を巧みに行き来し、自由で柔軟な発想で、共通の理想に挑戦する、そんな「人」をコンテンツ産業から生み出すことを期待している。

第6章
韓国の文化政策の道のり

時代が奪い、救ったもの

時代に即したトレンドが意識される韓国ドラマにおいて、本書を執筆している2022年の春までの時点で、大量の「成長物語」が登場している。『その年、私たちは』『私の解放日誌』『39歳』『二十五、二十一』『私たちのブルース』。学生から大人になるまでの主人公たちの人間形成、あるいは与えられた環境の中でどう生きていくかを描く作品群だ。

『二十五、二十一』の時代背景にあるのは、1997年の韓国の経済危機に対する国際通貨基金（IMF）による救済だ。IMFの救済措置を受けるなかで、家族や友人、夢を失った若者たちの挫折とそれを乗り越えた成長物語が描かれ、同時代につらい思い出を抱いていた40代、50代からの共感を得られた。フェンシング部で活躍する高校生の主人公は、フェンシング選手として生きようと決意していた。しかしIMF危機のために学校からの支援がストップし、高校フェンシング部は解散してしまう。主人公は「夢を奪わないでください」と抵抗するが、それに対してコーチはこう語った。

「お前の夢を奪ったのは俺ではなく時代だ」

その後、主人公はフェンシング部のある学校に頑張って転校する。そしてあるとき、国家代表選手を選抜する試合が開かれる。代表選考試合は国内のランキング順に参加資格を持つが、ランキング内の二人の選手がＩＭＦ危機の影響で辞退したことから、ランキング外の主人公が繰り上げで出場が決まる。そしてコーチはこう言った。

「時代があなたを助けたの」

時代によって正反対の運命を受け入れた主人公は、40代である私も含め、あの時代を記憶している韓国人の共感を集めた。ドラマのなかでも触れられていた、外貨準備高を増やすために国民自らの手でお金を集めた経験は忘れられない。

通貨危機で失ったモノと得られたモノ

韓国の近代史において、韓国と韓国人にとって朝鮮戦争の次に大きな事件が、１９９７年の通貨危機とＩＭＦによる救済だ。１９８８年のソウルオリンピックを機に急成長した韓国経済は、10年後に大きな危機に見舞われた。失業者が急増し、学校や幼稚園に通えなくなった学生や子どもが発生、朝鮮半島の人々の日常生活が根本から変わってしまった。通貨危機によってもたらされた大量の失業、大量の不動産売却、金融不安の後に行われたＩＭＦの救済措置は経済の再構築と大きな構造改革につながった。

私が制作スタッフとして携わったテレビ番組『世界は広い』は、各国の文化や歴史、社会を紹介する教育番組だったが、その時期には多くの苦情が寄せられた。国や国民が苦しんでいるときに、海外旅行を誘発し感情をあおるような番組を制作する公共放送に対する抗議であった。そのような意図で作られたものではないが、当時はどうしてもそのように受け取られてしまったのである。

1997年12月から2001年8月までIMFの監視下にあった韓国の経済回復の様子、復興への努力は、翌1998年2月に第15代大統領に就任した金大中（キム・デジュン）の政策に見ることができる。新しい政府は、主権は「国民」に属すると強調し、「国民の政府」を提唱し、就任演説では、復興への秘策を明言した。[*30]

尊敬して愛する国民の皆さん！
世界は、物質的な資源が経済発展の要素であった現在の工業社会から、無形の知識や情報が経済発展の原動力となる知識情報社会へと移行しているのです。情報革命は世界を一つの地球村に変え、国民経済から世界経済時代への移行をリードしています。情報化時代とは、いつでも、どこでも、誰でも、簡単に、安価に情報を入

＊30　関連記事　https://www.donga.com/news/article/all/19980225/7324986/1

手し、利用することができる時代です。これは、民主主義社会でなければできないことです。（中略）
新しい政権は、我々の世代が知識情報社会で主導的な役割を果たすことができるよう努力します。小学校からコンピュータを教え、大学入試では学生がコンピュータ科目を選択できるようにします。私たちは情報大国の礎を築き、世界でパソコンを最もよく使う国をつくります。（中略）
私たちは、国民文化のグローバル化に焦点を当てなければなりません。伝統文化に込められた高い文化的価値を継承し、発展させていきます。文化産業は21世紀の基幹産業です。観光産業、コンベンション産業、映像産業、文化的特産品など、無限の市場が待っている富の宝庫です。（後略）

（翻訳は著者による）

彼は演説の中で、通貨危機を朝鮮戦争以来の最も深刻な国家的危機と表現した。それを克服するために、政治、経済、外交、北朝鮮との関係など、韓国の未来は国民と一緒に作っていくものだと明言したのだ。次の時代は「知識情報社会」であり、「情報革命」を推進し、あわせて「文化的価値」を継承していかなければならない。そこで「文化産業」は21世紀の基幹産業であり、富の宝庫であると訴えた。今から25年前の1998年に、「知識情報社会」と「文化産業」を推進する国策が具体化されるべきだと宣言していたのだ。

21世紀の基幹産業は「文化産業」

ＩＭＦによる救済が本格的に始まった1998年、当時の金大中大統領は「文化産業」を新時代の産業の一つに挙げ、21世紀の基幹産業と宣言した。「文化産業を基幹産業にするとはどういうことなのか?」と、就任演説の中継を職場の先輩と見ながらイメージできなかったことを覚えている。

一般的に基幹産業とは、一国の経済活動の基盤となる重要な基礎産業のことを指す。鉄鋼業、エネルギー産業、機械産業、化学工業や運輸業など、主に製造業がそれに当たることは理解できる。しかし、文化は基幹産業になりえるものなのか。

通貨危機をきっかけに様々な転機が訪れた。中堅産業は途上国に競争力を奪われ、エネルギー輸入にほぼ全面的に依存する構造が非常に重くのしかかる。しかし、文化産業は創造力によって、新たな雇用と国民所得を増加させることができる分野であった。さらに文化産業において生産されるコンテンツは、その国の文化や情緒的価値を丸ごと内包している。その消費は経済的な影響だけでなく、個人的な価値観にも大きな影響を与える可能性がある。そんな一石二鳥の効果を得ることができる未来の産業であることを、金大中大統領は予見していた。

これまでの政策は文化産業を伝統文化の保存程度にしか見ていなかったが、文化芸術を支援するという原則を確立しようとした。統制型から振興型への転換が強調され、同時に創造活動に対する様々な規制の撤廃・緩和が開始された。

まず、対策として文化分野の国家予算が増額された。1998年には168億ウォンに過ぎなかった予算が、1999年には1000億ウォンと約6倍に増え、2000年には初めて国家総予算の1・0%を超えた。翌年の2001年には文化予算総額が1兆ウォンを超え、量的成長をリードしようとしていた。

長期的文化政策の誕生、インフラ構築と人材育成

韓国コンテンツは、重要な輸出商品の一つとなった。2020年、韓国コンテンツの輸出は119・2億ドル、輸入は9・2億ドルになり、10倍以上の開きがある。驚くべき数字

だが、コンテンツを重要な輸出品目として育成するために、韓国政府はどのような政策をとったのだろうか。

最初の長期文化政策といえるのは、1999年の「文化産業発展5ヶ年計画」である。文化製品の開発、海外市場の開拓、国際競争力の強化など、詳細なプロジェクトが盛り込まれたものだ。翌年にはこの計画を補完する形で「文化産業ビジョン21」を発表し、政府はより細かく明確にグローバル展開の目標を提示した。

この時期の文化政策の方針は、「選択」と「集中」にあった。

まず投資の優先順位を策定した。初年度の1999年は、映画・アニメなどの映像、ゲーム、音楽、放送、出版・印刷、ファッション・デザイン、工芸の7分野が主要戦略分野として選ばれた。政策の第1段階は、制度整備、財源確保、専門人材の養成など、インフラ構築に重点が置かれた。第2段階（2000〜2001）では、輸出製品の開発、海外市場の開拓など国際競争力強化のための事業を推進する。第3段階（2002〜2003）では、文化産業団地の設立と国際競争力による国家基幹産業への転換を目指した。

生産力を高めるためには、まずインフラを整備する必要がある。政府は文化コンテンツ振興課を主導に、社会が整備して提供すべきインフラとして、コンテンツ産業を全面的に支援することにした。韓国ゲーム産業振興院、アニメーションアカデミー、ゲームアカデミー、韓国文化コンテンツ振興院、韓国文学翻訳院を設立し、それぞれの支援と発展のための基礎を築いた。

この他、技術開発と職業訓練のシステム構築、職業訓練機関の設立と運営、関連部署の設置・運営、戦略的分野での早期職業訓練システムなどが盛り込まれた「2001年版文化産業白書」に、文化産業を創出するプロフェッショナル人材を明記した（表6－1）。

文化産業の資源は人材であり、専門的な人材育成のために、6つのきめ細かい施策がとられた。

分 野	核心専門人材
映 画	企画、マーケティング、シナリオ、プロデューサー、技術スタッフ
アニメーション	企画、マーケティング、シナリオ、Lay-out／原画、動画、カラーリング／背景、撮影／編集、デジタルアニメーション制作
放 送	企画、記者、プロデューサー、作家、アナウンサー、技術スタッフ
音 盤	企画、マーケティング、プロデューサー、エンジニア、セッション全般
ゲーム	企画、マーケティング、シナリオ、グラフィックデザイナー、コンピュータプログラマー、H/W開発、システムエンジニア
電子出版	企画、マーケティング、編集、コンピュータオペレーター、デザイナー

表 6-1　分野別の核心専門人材
出典：文化観光部「2001 年版文化産業白書」

第一、文化的創造力や企画力を発揮するのに適した分野の研修を戦略的に「選択」「集中」する。とくに、ゲームやアニメーションなど、比較的技術水準の高い有望な分野を優先的に育成していく。

第二、文化産業の人材育成のための需要喚起型インフラを構築する。産学共同（産学研究分野）をベースに、産業界が主体となって「CT（Culture Technology）産業人材養成委員会」という人材育成の仕組みを実現する。

第三、産学官の代表からなる教育機関認証のための合同委員会を設置する。優れた教育機関は、認定とその実績を通じて奨励される。施設・設備の取得や創作活動にかかる費用を支援する。

第四、文化産業を専門とする教育機関や産業界との業務提携を拡大し、需要のある実践的な人材を育成する。オンライン教育システム、優秀なスタッフの育成体制を確立し、技術変化へ対応する。

第五、アイデア、映像、ストーリーなどのコンテンツの原型を研究開発する、「文化コンテンツ開発センター（Contents Research Center）」を設立する。芸術的な創造力、デジタル技術力などの総合的能力を備えたエリート人材を育成する「文化コンテンツ大学院」を運営し、芸術的な創作力とデジタル技術力など、包括的な能力を備えたエリート人材を育成する。

第六、米国、中国、日本の優秀な海外研修機関とのスタッフ交流・協力を強化する。文化産業の専門スタッフのグローバル化、海外スタッフの積極的な活用を行い、「文化コンテンツ専門マーケター」を育成する。ブランドイメージのサポート、現地情報の収集・分析、マーケティング手法の開発、海外ネットワークの強化などを支援する。

文化産業の成長のカギは「IT」と「デジタルコンテンツ」

「IT強国」「IT先進国」と、韓国の経済発展を語るときしばしば「IT」が言及される。文化産業においてもITが成長のカギを握ると言われた。

実際、2000年前後の韓国の文化政策は、インターネット通信インフラ環境を変えることに重点が置かれていた。文化産業の成長は、デジタル化によって加速される。そしてデジタル化の最大の課題は法制化であり、それに基づく文化戦略が別途必要であった。

韓国政府が2001年に策定した「コンテンツコリアビジョン21」には、デジタル時代に対応した文化産業の戦略が盛り込まれている。[31] 法制度整備については、デジタル時代に対応した文化産業関連法規を分野別に整備すること、著作権法を全面的に改正することを明記している。また、超高速情報通信網の構築による相互接続性の拡大、デジタル技術の高度化など、文化産業を取り巻く環境の急激な変化に対応するための法改正も行ってきた。つまり、21世紀のデジタル経済に対応した、オンラインとオフラインのコンテンツ産業を総合的に支援する仕組みが構築されてきたのだ。

時代を変え、予測し、未来の新しい産業を創造するためには、規制の法律から推進の法律へ移行することが重要であった。インターネット、デジタルコンテンツ、文化産業など、情報通信の新時代に国や国民がどう対応していくかの転換点だったのだ。

２００２年１月に公布され、同年７月に施行された「オンラインデジタルコンテンツ産業発展法」には、韓国の文化産業の将来にとってデジタルコンテンツがいかに重要であるかが盛り込まれ、高付加価値資源であるオンラインデジタルコンテンツ産業の発展・強化に焦点を当てた。オンラインデジタルコンテンツ産業発展法には、

＊31　文化体育観光部（２００７）「コンテンツコリアビジョン21」基本計画 https://www.archives.go.kr/next/search/listSubjectDescription.do?id=005758&sitePage=

①デジタルコンテンツの適用範囲
②政府全体の支援体制構築
③オンラインデジタル事業者への制度的支援
④オンラインデジタルコンテンツ制作者の保護措置
⑤他法律との相互補完

が含まれていた。法律の立案だけでなく、起業の促進、専門人材の養成、技術開発、流通の促進など、事業者競争力のためのインフラ整備と安定した資金を提供するための振興基金の設立も提案した。またオンラインコンテンツの消費者の権利を保護するための規定も設けられた。

その施策として、2003年と2006年の2回にわたって「オンラインデジタルコンテンツ産業基本計画」が実施され、文化産業の成長に合わせた技術開発、地域文化産業の振興、海外進出が行われ、韓国文化産業の成長の基礎を築く上で大きな影響を与えたと思われる。

インターネットのインフラ環境は構築されたものの、当初はそれに見合ったデジタルコンテンツ制作のインフラが整備されておらず、流通構造と海外展開などのビジネスが生まれることは難しかった。オンラインゲーム、デジタル音源、教育コンテンツ、デジタル出版、インターネット映画などを中心に市場の活性化を図り、海外進出に向けた多様な販路を開拓した。

なぜ、韓国コンテンツがグローバル化したのか。韓国ドラマを海外で販売する際に、放送権、パッケージ権、ネット配信権をセットにしてオールライツ販売をしたこと。K－POPをストリーミングやダウンロードなどのインターネットサービスにいち早く導入したこと。アプリケーションを通じてデジタルウェブ漫画を世界中に配信したこと。インターネットPCゲームやサイバースポーツの発祥の地となったこと。ITのレールに乗せられたデジタルコンテンツへの支援が、文化産業の成長のカギを握っていたことは間違いない。

文化政策実行のコーディネーター、韓国コンテンツ振興院（KOCCA）

政策が立派であっても、現場に届かなければ効果はない。コンテンツ企業やクリエイターに具体的にどう還元されたのだろうか。

文化体育観光部傘下の特殊法人である韓国コンテンツ振興院（Korea Creative Content Agency、KOCCA）は、文化コンテンツ産業を次世代成長産業として育成するために2009年5月に設立された。委託執行型の準政府機関に指定され、グローバルな文化コンテンツへの飛躍を可能にするための施策を実施する。2000年には文化観光部の傘下に文化産業支援センターが設立され、文化産業の振興と輸出促進を図ってきたが、2001年に財団法人韓国文化コンテンツ振興院に移行し、2002年には文化産業振興基本法により特殊法人化され、2009年に韓国コンテンツ振興院として再編された。

韓国コンテンツ振興院では、毎年12月に支援事業説明会を開催している。前年度のコンテンツ市場の動向と成果を共有した上で、支援事業別に詳細な予算と計画を発表する。また同時に相談会も行う。韓国のコンテンツ企業の多くは、オンラインまたはオフラインで参加し、公開資料を参考にする。

2021年12月に発表された2022年の政府の支援事業の総予算は、前年度より264億ウォン増加された5447億ウォンである。2022年は「コンテンツ企業の競争力強化」「コンテンツ産業の未来成長基盤の拡充」「持続可能な経営体系の確立」の戦略に従って12項目の戦略課題を提示した。各々のコンテンツ企業に合わせて支援を行い、多角的に海外進出の支援を進め、技術基盤の新しい産業分野へのサポート、スタートアップと次世代の人材育成に特化するなど、様々な分野の支援策を実行する。機能別のコンテンツ支援の分野は、「制作」「流通」「インフラ」「人材育成」「企業育成」「制度運営」「投資・金融」「政策立案」に分けられる。制作支援は2351億ウォンと、予算の約半分を占めている。次いで、流通支援が816億ウォン、インフラが726億ウォンとなっている。

注目すべきは、韓国コンテンツ振興院（コンテンツ）、国民体育振興公団（スポーツ）、韓国文化観光研究院（観光）、韓国著作権委員会（著作権）の研究を統合した組織、「文化体育観光技術振興センター」を設立したことである。[*32] 2021年11月に設立された文化体育観光技術振興センターはそれぞれの組織が進めていた研究開発（R&D）の企画、管理、評価機能などを統合的に推進して管理する役割を担う。文化、観光、体育に関する総合的な研究開発の支援とさらなる相乗効果を生み出すことを目的とし、次なる新しいコンテンツ産業を切り開く基盤づくりに重要な役割を果たすと考えられる。

＊32 https://blog.naver.com/mcstkorea/222562792006

日本市場を攻略するIP展開

韓国の文化政策実行のコーディネーターともいえる韓国コンテンツ振興院は、海外拠点を中心に韓国コンテンツや企業の海外進出を支援している。拠点となるのが、韓国コンテンツ振興院の海外ビジネスセンターである。アメリカ（ロスアンゼルス）、中国（北京、深圳（シンセン））、欧州（パリ）、日本（東京）、インドネシア（ジャカルタ）、ベトナム（ハノイ）、UAE（ドバイ）の8つのビジネスセンターを設置し、タイ（バンコク）、ロシア（モスクワ）にマーケターを配備している。主な活動内容は、現地バイヤーとのビジネスマッチング、情報提供、ビジネスコンサルティング、現地ネットワーキング、インフラ提供、PR、マーケティング支援などがある。

私は2018年から2020年までの約3年間、韓国コンテンツ振興院日本ビジネスセンターのセンター長を務めた。韓流ブームの発信地といえる日本は、韓国の文化やコンテンツへの関心が高く、最も身近な市場である。しかし、自国のコンテンツ制作能力が高い日本市場で、韓国コンテンツをどのように展開するかが大きな課題だった。

センター長就任後は、まず日本のコンテンツ市場を客観的に評価することが重要だった。「選択と集中」「新規性と受容性」を軸に、市場調査や事業計画を実施した。これを明確にすれば、日韓いずれか主導の一方的な産業交流ではなく、相互の共存・ウィンウィンの立場でコンテンツを展開することができると考えたのだ。

出した答えは、「ストーリー」「eスポーツ」「イノベーション」「スタートアップ」の4つ。これまでは、韓国ドラマは日本の映像配給およびソフトメーカー、キャラクターなら日本のエージェンシーなど、ジャンル別に現地の同業者への進出支援が中心だったが、縦と横を往来し融合する形で事業を模索した。つまり、IPを軸に海外展開のサポートをする。たとえば、日本進出がなかなか進まなかった韓国アニメの場合、ストーリーIPとして日本のゲーム会社に紹介した。アニメと同様に、キャラクターは世界観IPとして日本の芸能事務所に提案し、お笑い芸人との共同コラボ企画を検討してもらう。さらに、世界のコンテンツ産業に影響を与えたコンテンツイノベーションに関する両国の成果と課題に焦点を当ててみた。それにより、多様な日韓協業の火付け役となり、相互の成長を実現するのではないかと考えた。

世界的にeスポーツ市場が拡大するなか、ゲームIPを多く持つ日本はeスポーツへの取り組みに消極的だった。また日本には映像制作の優れた技術があり、過去に多くのヒット作を生み出した基礎体力があるため、様々なストーリーを映像化することに十分なビジネス適合性があると考え、積極的に取り組んだ。それにより、メディアミックス、クロスメディアなど、異業種とのコラボレーションにも大きな期待が持てた。

最後に、既成のコンテンツを買わせるビジネスではなく、共創によるパートナーシップを高めるために、コンテンツジャンルで活躍するスタートアップ企業とのマッチングを促進した。

「K-Story in Japan」「韓日コンテンツビジネスフォーラム」「K－コンテンツスタートアップ in Japan」などのイベントを通じて、日韓コンテンツ企業のビジネスネットワーキングの機会を継続的に提供した。2020年は新型コロナウイルスの拡散による渡航や行動制限が続き、事業変更などに追われた時期だったが、情報発信と1対1を中心とした相談会を毎日続けていたことを思い出す。

第7章

対談

グローバルコンテンツのキーパーソンに出会う

ドラマ作家に聞く！ ジャンルものの始まりと終わり

金銀姫（キム・ウニ）インタビュー

金銀姫　脚本家

〈受賞歴〉大韓民国コンテンツ大賞大統領表彰（2016）、第5回アジア太平洋スターアワード作家賞（2016）、第52回百想芸術大賞テレビ部門脚本賞（2016）、第11回大韓民国大衆文化芸術賞大統領表彰（2020）、第2回アジアコンテンツアワード作家賞（2020）

〈代表作品〉『夏物語』（2006、デビュー作）、『危機一髪！プンニョンマンション』（2010）、『サイン』（2011）、『ファントム』（2012）、『スリーデイズ～愛と正義～』（2014）、『シグナル』（2016）、『キングダム』シーズン1（2019）、『キングダム』シーズン2（2020）、『キングダム アシンの物語』（2021）、『智異山（チリサン） 君へのシグナル』（2021）、『悪鬼（原題）』（2023、予定）

『シグナル』『サイン』の日本リメイクについて

黄　コロナが世界的に蔓延(まんえん)してから3年目になりますが、仕事に大きな変化はありましたか?

金　執筆作業自体は一人で行うものですから、コロナが登場する前とほとんど変わりません。もちろんコロナ禍により当たり前だったことが当たり前にできない世の中を日常的に経験するなかで、いつか以前の日常が戻ってくることを祈っていました。自分は仕事ができることに感謝する日々で、執筆により集中できたかもしれません。

黄　行動制限の影響はありませんでしたか?

金　作品の題材に関連する職業の方や専門家の方にインタビューすることがよくあります。それにはより慎重にならざるを得ませんでした。すべての人がコロナ禍(か)で困難を抱えていることを共有できたのは幸いでしたが、直接インタビューを受けていただく方々には少なからず感染リスクを負っていただくことに、いつも申し訳ない気持ちでいっぱいでした。

黄　キムさんはドラマ『キングダム』で世界的に注目され、日本ではドラマ『シグナル』と『サイン』のファンが多いと思います。この二つの作品は日本でリメイク版が制作されました。リメイクの話を聞いたとき、どう思われましたか？

金　作品を愛してくれるファンがいることとは、作家にとって幸せなことです。自分の作品が海外でリメイクされることでより多くの人とつながることができることも、とても貴重な経験ですからやはりうれしく、感謝しています。

黄　この二つの作品がリメイクされた理由はどこにあったと思われますか。

金　日本と韓国は同じ東洋的な感情を持っているので、他の国よりドラマの背景を理解しやすかったと思われます。既得権益者の権力的不正に対する市民の正義や誠意は、両国が共感できるものだという期待が大きかったのではないでしょうか。

グローバルコンテンツづくり

黄　ドラマの脚本制作で心がけていることを教えていただけますか。

金　まず、企画意図を守ることです。このドラマを通じてなにを伝えたいのかをもとに、登場人物の年齢・職業・キャラクター（性格）などを整理し、1話ずつ構成とあらすじを書いていきます。事件を厳密に作ることよりは、登場人物の心情や感情の変化を重視していて、登場人物がどのように成長するのか感情線を構想し台本に組み込んでいます。

黄　とくに興味があるテーマやジャンルはなんでしょう?

金　私は非日常的な世界ではなく、人々の生活や常識が通用する世界の話をしたいと思っています。それと善悪や緊張感がいちばん表現しやすいので、サスペンス、ファンタジー、ミステリー、ホラー、犯罪などを描いたジャンルものが好きですね。

黄　構想や企画段階では、どのような部分を重視されていますか。

金　私自身が伝えたいテーマも重要ですが、その前に視聴者が楽しめる話なのかと悩んでいます。あまりにも視聴者の興味とかけ離れているのではないか、これまでの作品と比べて新しいおもしろさがあるのかは注意しているところです。

黄　キムさんの作品には、全世界が関心を寄せているといっても過言ではありません。企画段階からグローバルな展開を意識されていますか。

金　最初から全世界の視聴者を意識して、特別な設定やストーリーを構想することはありません。ただ現代はそもそもグローバルな時代なので、世界的に共通するテーマが多くなったと思われます。また配信サービスによって他国の作品を手軽に見られるようになり、他国の視聴者の目線や期待を実感できるようにはなりました。私はその視聴者の目線に合わせた作品を書こうと努力しています。

ストーリーを構想するときのキーポイント

黄　ストーリーを書くときに、指針にされている信念や信条はありますか？

金　一つのドラマを作るには、多くのお金と多くの人の努力が必要です。さらに、視聴者はドラマを見るために貴重な時間を費やさなければなりません。そんなドラマにとって脚本はいちばんの基礎になるものですから、最後の最後まで思いっきり悩み抜いて書くべきだと思っています。

黄　韓国ドラマのストーリーが世界で人気を博しているのはなぜだと思いますか？

金　よく聞かれる質問ですが、本当に分からないんです。ただやはり配信プラットフォームのおかげで、海外の視聴者が韓国の作品を見やすくなったことは一つの理由だと思います。韓国だけでなく、全世界の優れた作家たちが配信に優れた作品を提供し、全世界の視聴者がそれを見るようになりました。

黄　キムさんが手がける物語のオリジナリティは、どこにあると自負されていますか？

金　ストーリーに登場人物の最大限の感情を込めようとしていることでしょうか。私は天才ではないので、ストーリーの結末や事件の反転を視聴者に察し取られてしまうことが常に気になります。それを防いで最後まで楽しめるように、意外なストーリー展開よりも登場人物の内面の変化に重点を置いています。ストーリーの秘密が明かされたとき、登場人物が影響され、揺さぶられるように心がけています。

ウェブトゥーンストーリーからドラマへ、『キングダム』

黄　『キングダム』はドラマの前にウェブトゥーンとして制作され、キムさんはそのストーリーを担当されました。ウェブトゥーン作家とドラマの作家の違いはなんでしょうか？

金　実写であるドラマよりも、絵で表現するウェブトゥーンのほうが、演出や物語の想像力が膨（ふく）らむと思います。ドラマは制作費の関係でロケ地や美術的な制約がありますが、ウェブトゥーンは自由度が高いです。その点が興味深かったですね。

黄　今後もウェブトゥーンのシナリオ執筆活動も続けていく予定ですか？

金　より多くの人に作品を伝えたいので、どんなコンテンツ形式でも拒否感はなく、良い刺激になると思って取り組んでいくと思います。

黄　『キングダム』は朝鮮王朝時代を舞台にしたゾンビの物語ですが、従来の西洋のゾンビとはどう違うのでしょうか？

金　西洋のゾンビは決して死なない恐怖の対象ですが、『キングダム』のゾンビはもっと哀れな生き物として見せようとしました。『キングダム』でゾンビが生まれた物理的な要因は「生死草」というアイテムですが、根底にある背景は「飢え」でした。「生死草」により「ゾンビ」として生き返った人からは他人に感染せず、嚙まれた人は死んでしまう。一方で、その嚙まれて死んだ人の肉を飢えに耐え切れずに食べた庶民が感染力のある「ゾンビ」となり、「ゾンビ」が増殖していく、と「ゾンビ」を区別したのがオリジナルな点だと思います。

黄　『キングダム』が世界的な人気を博したとき、どのようにお感じになりましたか？

金　とてもありがたく、光栄に思いました。自信がつきましたし、将来的にはもっと多様なチャンスがあるのだと実感できました。

世界に通用するストーリーとは

黄　世界に通用するストーリーとは、どのようなものだと思いますか？

金　すべての人が経験できる普遍的な感情が描かれること、共感されることが必要なのではないかと。それを見つけるために、同時代を生きる人たちがなにを大切にしているのか悩み続け、愛し続けなければならないと思います。

黄　今後、取り組みたいテーマやジャンルのアイデアはありますか？

金　今、『悪鬼（原題）』というオカルトドラマに専念しています。韓国の民俗学の分野に挑戦しながらおもしろく書いているところです。

黄　日本との協力や他国との合作についてはいかがでしょうか。

金　いつでも大歓迎です。どんなフォーマットでも、どんなプラットフォームでも、私はストーリーテラーであり、多くの人に物語を聴いてもらいたいです。

黄　より広い世界に向けて物語を書こうという気持ちがありますか？

金　あまり気にしていません。私はただ、できるだけ個人的なストーリーを書くように心がけています。自分らしい物語、自分自身が共感できる物語こそが、より多くの人に楽しんでもらえる物語になると思うのです。

黄　グローバルなコンテンツ制作を目指すライターやクリエイターに伝えたいことはありますか。

金　ドラマは現実と違っていて当然ですが、だからといって現実とかけ離れすぎていると共感が薄れます。現実に目を向け、感情を模索し続ければその誠意は作品に現れるはず。そうすれば、より多くの人の共感を得られるものが作れると思います。

ウェブトゥーン作家に聞く！無限のストーリーと未来

尹胎鎬（ユン・テホ）インタビュー

尹胎鎬　ウェブトゥーン作家

〈受賞歴〉文化体育観光部 今日の私たちの漫画賞（1999）、大韓民国出版漫画大賞（2002）、大韓民国出版漫画大賞優秀賞（2007）、富川漫画賞一般漫画賞（2008）、大韓民国コンテンツ大賞漫画部門大統領賞（2010）、大韓民国コンテンツ大賞漫画部門大統領賞（2012）、第13回大韓民国国会大賞今年の漫画賞（2013）、囲碁大賞功労賞（2014）

〈代表作品〉『非常着陸』（1993、『月刊ジャンプ』連載、デビュー作）、『諜報大作戦（原題）』（2006）、『苔』（2008～2009、映画『黒く濁る村』原作）、『内部者たち』（2009、映画『インサイダーズ／内部者たち』原作）、『未生（ミセン）』（2012～現在、ドラマ『ミセン 未生』原作）、『仁川上陸作戦（原題）』（2013～2015）、『巴人（パイン）』（2014～2015）、『オリジン（原題）』（2017）、『オリン 南極編（原題）』（2020）

ウェブトゥーン専門会社「SUPERCOMIX STUDIO」

黄　「2019年韓日コンテンツビジネスフォーラム」[＊33]から3年が経ちましたが、以降はどのように過ごされましたか？

尹　相変わらず原稿を書いています。外出できない時期が続いたので、より集中して作品制作に取り組めました。まずコロナ禍に突入した2年間で、『オリン 南極編（原題）』を企画から完成まで仕上げました。今は『未生（ミセン）』シーズン2を制作しています。シーズン2は以前から制作が進んでいましたが、自分の怪我などで中断していました。2021年からシーズン2の掲載を再開し、現在も書いているところです。

＊33　「韓日コンテンツビジネスフォーラム」とは、韓国コンテンツ振興院日本ビジネスセンターが定期的に開催するイベント。韓・日におけるコンテンツ、人材、企業間の多様な協業ビジネス事例を通じて、韓日間の相互協業の接点を発掘し、コンテンツ市場拡大を図ることを目的とする。2018年は、「eスポーツ」「K-POP」、2019年は「ドラマ」「5G」、2020年は「日韓協業とグローバル進出」というテーマでウェブトゥーン、キャラクター、プラットフォームなど、日韓協業を幅広く紹介した。「2019年韓日コンテンツビジネスフォーラム」は、「ストーリーでグローバル市場を狙う」という主題で、ユン・テホ氏が登壇した。（関連記事　https://news.yahoo.co.jp/byline/shinmukoeng/20190423-00123344）

黄　ユンさんはウェブトゥーン専門会社「SUPERCOMIX STUDIO」を立ち上げていますが、執筆と並行して会社のマネジメントにも携わっているのでしょうか？

尹　株主として、また取締役として会社の方向性に助言する立場にあります。メディアミックス展開する作品を作りたい人、作家としてデビューしたい人など、それぞれの特性に合わせた人材育成をサポートしていますが、誰しもが作家としてデビューしたいわけではありません。ウェブトゥーンの完成までに関わる制作全般やビジネスのプロとして活躍する人材も成長できる仕事の環境を整えています。ウェブトゥーンは市場規模がだんだん大きくなり制作費がますます高騰して、クリエイティブビジネスの視座を持つプロが必要です。それをきちんと管理できるスタッフも。安定した労働環境といざというときに作家としてデビューできるチャンスが必要なのです。経営者としてそれを考慮した管理が求められています。

黄　韓国ではウェブトゥーン作家を目指す若者が増えているようですね。

尹　現在、現役の作家は4000人、デビューを目指して創作している人数を含めると6000人、7000人いますね。ここにウェブ小説作家を含めると、その数は1万人を超えます。物語を書くことは、人が最初に学ぶ基本的な営みです。誰もが自分の物語を書きたいという願望を持っています。ウェブトゥーンは絵がうまいことも重要ですが、説得力のあるストーリーを伴ったユニークな絵のほうがよく読まれます。ウェブトゥーンの世界の壁はそれほど高くはありません。かつては漫画業界で長い時間をかけて腕を磨いた人だけがデビューできましたが、今は読者と呼吸を合わせることが大切になっています。出版された漫画の場合、作家と読者の距離は遠く、読者の好みやニーズに応えるには長年の経験と技術が必要です。今はそうではありません。読者と描き手の関係は、今日の読者が明日の書き手となるくらい密接なものです。絵のうまさよりも、その絵がどれだけストーリーを反映しているか、どれだけ共感されるかで決まります。今こそ、ウェブトゥーンの時代なのです。

発想の源、普遍性を求めて

黄　アイデアはどこから出てくるのですか？

尹　アイデアについては、まず好奇心がベースになっています。そして私がおもしろいと思うものは、相手もおもしろいと思ってくれると信じることが創作においては大切です。信じることには、一人の人間として普遍性と個別な現実を共有する収束点があります。自分の価値観やビジョン、思いが、人を感動させることができるという信念のもとに成り立っていることが重要です。

黄　その信念は、作品にどのように反映されているのでしょうか。

尹　ミセンとは、囲碁(いご)用語でまだ生かされていない盤面に置かれた碁石のことを指します。どんなに能力があっても、この世の誰もが一人では生きることができない存在でしょう。

『未生』のシーズン1は、プロ棋士である主人公が会社に適応して成長していく物語でした。結局、主人公は大企業を辞め、中小企業に転職し、そこからシーズン2の物語が始まります。シーズン2は主人公ではなく、中小企業がミセンになり、生き残るための成長と奮闘が描かれています。この作品は自己啓発本ではありませんが、日常生活の中で哲学を持ち、それを維持するために必要なことについて描いています。多読派なので、関連書籍はたくさん読んで研究しながら仕上げました。

黄　登場人物の設定で注意されていることはありますか。

尹　10人のキャラクターがいるなら、10通りの異なる世界観を持っています。未来の社会に対してなにを期待しているのか、それぞれ見解が異なるわけです。たとえば、韓国の社会に目を向けると世代間の格差があります。技術や情報の発展が非常に速く進行し、60～80代の人たちはデジタル環境がどれだけ変化したのか想像もつかないでしょう。スマートフォンという電話の域を超えた手の中にあるコンピュータのようなアイテムに、年配の方はなかなか慣れないでしょう。一方で若い人たちは、電話で話すことを避けています。彼らは徐々に書く能力、正常な言語と語彙を失っているのではないかと考えています。どちらが良いとか悪いとかではなく、それぞれに困難があるはずです。しかしこの状況には、小さいながらも必ず解決策があるはずです。登場人物それぞれが抱える困難やその解決を、作品を通じて伝えたいと思っています。

劇的な表現より、因果関係のストーリーテリング

黄　なぜ韓国のコンテンツは人気なのだと思いますか？

尹　韓国作品には、ドラマチックな要素が多いとされています。それは韓国社会の実情を映しているからではないかと考えています。韓国人は物事に序列をつけることが好きです。つまり競争ですね。競争には強い意志を持って臨まなければならない、反発やライバルがつきものです。その衝突が他の国よりも活発だから、ドラマチックな印象を持たれるのではないかと。

黄　そういったドラマチックな要素、劇的な設定を意識的に取り入れることはありますか？

尹　ドラマチックな状況をことさらにドラマチックに脚色する必要はなく、そのまま見せるべき姿があると思っています。たとえば、鼻血を出すほどのパンチ一発で済ませるほうがいいのに、顎(あご)を骨折させて死なせてしまうまでの劇的な展開は必要ありません。「鼻血を出すほどの事態」であることをそのパンチに感じてもらうことが重要です。クライマックスも過度に劇的なものにはせず、あえてリラックスしたシチュエーションとして描きます。刺激的な状況にはしたくないのです。

黄　日本ではピッコマやＬＩＮＥマンガなどで、韓国のウェブトゥーン作品がたくさん読まれています。ここまでの海外展開を想像されていましたか？

尹　まったく想像もつかなかったです。有料サービスを提供すると知ったときは驚きました。最初に無料でサービスをするときに、私の作品にどれだけ読者が滞在しているかのデータが蓄積されていたので、自信がないわけではありませんでしたが。有料サービスが始まると、人気ジャンルを中心に読者が増え、更新頻度も高くなり、作家への負担が増加しました。プラットフォームや制作会社も、読者が読みたくなるような作品を作って儲(もう)けようという意識が強くなったのです。一方、多くの読者が自分の好きなジャンルに傾倒し、ジャンルの二極化を招きました。これは、どうしようもないことです。最近はタイムリープ系や恋愛系のファンタジーが人気と言われていますが、それは私の趣味やジャンルではありません。そういうジャンルを描くのは無理ですね（笑）。

海外展開とローカルの語り

黄　作品を企画・制作する際に、海外展開を意識することはありますか？

尹　まったくありませんでしょうか。日本の作家の方も同じではないでしょうか。人口1億2000万人のうち10万人に気に入られれば、他の国でも人気が出るはず。『NARUTO』『ドラゴンボール』は日本の人気作品であり、同時に世界的な名作です。母国語ならではの遊び心があって楽しめる作品は翻訳によって他国へおもしろさを伝えることに限界がありますが、ドラマ性のある作品は海外でも理解される可能性があります。国内の読者を満足させずに海外の読者をファンに取り込むのは、私が追求したいものではありません。まず韓国の読者を満足させようと努めています。ただ、大韓民国に住みながら世界の一人として活動する作家だという意識はあります。言葉や台詞を書くときは、とにかく訳しにくい言葉で書かないように心がけています。地方の方言が入るシーンは、なるべく日常的な言葉を使ったり、最初から文学的な語り口で書いたりしています。

黄　『未生』は日本でも『HOPE 期待ゼロの新入社員』としてドラマ化されました。社会的な背景は違うと思うのですが、いかがでしょうか？

尹　日本のドラマ『ハケンの品格』が韓国でドラマリメイクされたことがありました。若い世代が置かれている環境は、日本と韓国とで違っていました。しかし若者が前向きに生きるためには、同じ時代に生きている40代、50代の姿をいかに未来志向的に描くのかが大事です。『未生』では若者の雇用に対する世間の厳しさが目立ちましたが、彼らの20年後の社会について考えてほしいというメッセージが含まれています。現在から未来を考えると、日本の若者の雇用は韓国と違っていたかもしれませんが、20年、30年後の社会は明るいとは言えないでしょう。『未生』の主人公のチャン・グレは、将来に不安を抱きながらもそれを表に出せず、正社員になろうと奮闘しますが、他の正社員は辞めていきます。誰もが社会に前向きにコミットせず後ろ向きであること、だからこそ前向きな社会人像が必要であることは世界的に共通することではないでしょうか。それが日本でもドラマ化された理由ではないかと思います。成熟した世代の視点から、未生という言葉の意味を十分に汲み取ることができると考えたのです。

黄　『未生』に続き、ウェブトゥーン『梨泰院クラス』が日本では『六本木クラス』としてドラマリメイクされ、地上波で放映されました。このように、日本に限らず海外でウェブトゥーン原作の映像作品が制作されることは増えていくでしょうか。

尹　現在、主なウェブトゥーンのプラットフォームであるカカオウェブトゥーンでは1週間に450作品、ネイバーウェブトゥーンでは500～600作品が連載されているそうです。読者の購読数が多い作品や、読者は少ないが二次利用や映像化など再利用の可能性がある作品について編集部では常に議論しています。

ウェブトゥーンの将来と新たな試み

黄　ウェブトゥーンの将来についてどう期待されていますか？

尹　海外の作家をもっと育ててほしいです。韓国の作家が海外に出るのではなく、韓国のウェブトゥーンシステムを学び、使い、独自のジョークや言葉を使って、おもしろさや絵を表現して成長した海外のウェブトゥーン作家がもっと増えてほしいと思います。たとえば、メキシコで生まれた人が韓国のウェブトゥーンを読んで育って、大人になって創作したウェブトゥーンを見てみたいですね。

黄 ウェブトゥーンは縦スクロールで読むユニークな形態です。既存のデジタル漫画との違いについてお聞かせください。

尹 ウェブトゥーンは非常に直感的なジャンルです。簡単に言えば、テレビ番組と違って読者が自分で読むスピードをコントロールできるのです。かつてウェブトゥーンは、音楽とアニメーションを取り入れていた時期がありましたが、これは読者側がコントロールできない要素であるため悪手でした。ウェブトゥーンは、独自のリズム感を持った作品が好まれます。読者が自分好みの一定の速度で縦スクロールをめくっていけるように、絵やセリフを配置することが重要だと思います。

黄 今後はどのような作品を発表される予定ですか。

尹 まず現在連載中の『未生』シーズン2に引き続き力を入れていきたいです。並行して、ゲーム会社と協力してゲームの世界観を構築しています。タイトルはまだ決まっていません。

黄　国際共同制作など、海外とのコラボレーションの企画は考えていますか。

尹　日本と韓国の作家たちがアイデアを出し、それをプロデューサーとして作品化する企画を進めてみたいです。海外だけではなく、国内でもコラボレーションが重要です。最初から作家になることを決めている人もいれば、まったく関係ない業種や専攻の人がウェブトゥーンの世界に入ってくるケースも増えています。その結果、それぞれが多様な人生から得た経験や知識を駆使して物語を作り、互いに影響し合いながら素材やジャンルなどの幅を広げています。ウェブトゥーンは読者との距離が近いジャンルです。おもしろい物語と絵に合わせて読者に感動と共感を与え続けることができれば、ウェブトゥーンの将来はもっと明るいと信じます。

コンテンツプロデューサーに聞く！越境と共感

宋珍姫（ソン・ジニ）インタビュー

宋珍姫　コンテンツプロデューサー

〈経歴〉2005年から日本にて韓国テレビドラマの日本配給、『花より男子』『重版出来！』など日本IPの韓国ドラマ化、『URAKARA』などK-POPコンテンツの企画プロデュースなど、日韓を跨いでコンテンツの企画、ビジネスを行い、2021年から韓国にてスタジオドラゴンの日本制作プロジェクトのPMを担当している。CJ Japan 株式会社情報戦略担当（2007）、株式会社SPO国際版権事業担当コンテンツビジネスプロデューサー（2009）、カルチュア・コンビニエンス・クラブ株式会社韓国版権事業担当兼韓国ボーイズグループNFｰNITE レーベル事業担当プロデューサー（2011）、韓国ドラマ制作会社 Binge Works や韓国ロックバンドNELLの日本事業担当、アメリカの動画配信サービス事業社 ODK Media の日本コンサルタント（2017）、スタジオドラゴン株式会社IP戦略担当日本プロジェクトマネージャー（2020〜）などを歴任。

日韓協業の道のり

宋　スタジオドラゴンで日本プロジェクトマネージャー（ＰＭ）を担当しているソン・ジニと申します。２００５年から日本で映像、音楽など、コンテンツ全般に関する様々なビジネスを経験し、現在は日本におけるドラマ制作のプロジェクトを担当しています。

黄　ソンさんは日本での韓国ドラマビジネスだけでなく、Ｋ－ＰＯＰガールズグループＫＡＲＡが出演する日本のオリジナルテレビドラマ『ＵＲＡＫＡＲＡ』[*34]の制作や、ボーイズグループＩＮＦＩＮＩＴＥのレーベル事業など、画期的な事業を手がけてきました。とくに印象に残ったことをお聞かせいただけますか。

宋　文化の異なる国同士のコンテンツに関わる仕事は、どれも新しい喜びと難しさがあります。中でも、両国で一つのコンテンツを創る過程はいつも新しい驚きを与えてくれま

*34　https://www.tv-tokyo.co.jp/urakara/

す。日本のＩＰ『花より男子』が韓国でドラマ化され日韓だけでなくアジア全域で人気を博したことや、韓国のガールズグループＫＡＲＡが日本のドラマで主演を務めた企画が印象に残っています。大仕事でしたが、ファンをはじめ業界の方にも好評でうれしかったです。

黄　日本で制作されたＫＡＲＡ主演のドラマは、どのような意図で企画されたのでしょう。

宋　ＫＡＲＡ主演のドラマ『ＵＲＡＫＡＲＡ』は、２０１１年１月からテレビ東京系「ドラマ24」で放送されました。ドラマ24の枠で海外とのコラボレーションドラマが放送されるのは初めてのことでした。このコメディドラマでＫＡＲＡは、表ではトップアイドル、裏では惚れさせ屋に変身する役を演じました。このドラマが放映された２０１１年当時、日本ではすでに多くの韓国ドラマが人気でした。また、韓国で人気のＫ－ＰＯＰグループが日本でも注目されるようになっていました。韓国のＫ－ＰＯＰグループはデビューまでの準備過程など日本とは異なる点が多く、その点でもおもしろい素材になると確信していました。韓国のアイドルをそのままテレビドラマにするという発想で、日本のドラマとして企画しました。

黄　日韓協力のビジネスを発展させる上で、「韓流」の影響は大きかったと思われますか？

宋　韓国と日本は古くからコンテンツを通じた文化交流やビジネスを行っており、それに伴い両国のコンテンツ関係者も実績を積み上げています。韓流ブームは、両国のコンテンツビジネスに大きく肯定的な影響を与えたと思います。優れたコンテンツが異なる国で文化的、ビジネス的に影響を与えることを示し、両国でコンテンツが成長するための大きな刺激を与えてくれました。

黄　韓国と日本の共同制作やコラボレーションの課題はなんでしょうか。

宋　細かく話していくとこの話題だけで一冊の本になりそうですが（笑）、なにより大事なのは徹底的かつ丁寧にお互いを理解すること、そしてなにをどうハイブリッドさせるかの戦略をしっかりと立てることだと思っています。コンテンツの企画開発から制作、事業において韓国と日本とではプロセスやシステム、事業構図に様々な違いがあり、それがコンテンツの完成度や事業展開に影響しているからです。

「スタジオドラゴン」というブランドと韓国ドラマ

黄 スタジオドラゴンが制作するドラマは、世界中で注目されています。とくに日本では、『トッケビ』『キム秘書はいったい、なぜ?』『ヴィンチェンツォ』『愛の不時着』『ボイス』『サイコだけど大丈夫』など人気ドラマが多く、非常に高いブランディングがなされてきました。

宋 ブランディングが達成できていく過程は、とても刺激的です。自分がスタジオドラゴンに合流したのはちょうど1年前でしたが、実はスタジオドラゴンの前身であるCJ ENMのドラマ制作部門だったときから斬新な作品づくりに惹かれていました。当時私は日本で韓国ドラマの買い付けや商品の開発をしていましたが、ＣＪ ＥＮＭが本格的にドラマを作り始め、『美男〈イケメン〉シリーズ』や『応答せよ１９９７』など当時の地上波とはまったく違う作品を企画・制作し始めました。私はとにかく他よりも早い時期からそれらの作品を買い付けさせていただき、日本で展開させることに全力を尽くしました。なので、今の仕事のオファーをいただけたときは素直にうれしかったです。弊社は、ドラマに情熱を注ぐ一流の人材を集めた韓国を代表する制作スタジオです。プロデューサーを含め、全社員が一丸となって最高のドラマを作り上げています。そのような努力が、ブランドとしての評価と信頼につながることをうれしく思っています。世界中の人が私たちのドラマを楽しんでくれるのはうれしいことですが、私自身は、子どもの頃から見てきた韓国のコンテンツを楽しみ、愛してくれることに満足感を覚えます。文化交流を通じて共感することも多かったと思います。

黄　２０２１年に東京・原宿で『愛の不時着展』、渋谷で『スタジオドラゴン韓ドラ展』が開催されました。反応はいかがでしたか？

宋　行動規制で参加できない人も多かったですが、日本の視聴者がいかに韓国ドラマを愛してくれているかを確認することができました。視聴数ランキングの上位になるよりも、韓国ドラマへの愛着が存分に感じられました。

黄　世界中から人気を得ている韓国ドラマの秘訣はなんだと思いますか。

宋　韓国の視聴者は、評価の基準が高く厳しいです。視聴者の期待に応えられるよう、常に質の高いドラマを制作しています。この10年間、アジアの様々な国や地域を中心に、海外展開を続けてきました。さらにグローバル配信プラットフォームを通じて全世界で同時公開されることで、その即時的な展開が可能になりました。この変化により、韓国ドラマの良さが素直に観客に届き、最高の評価を得ることができるようになりました。また、韓国ドラマは脚本の質を重視しながら、登場人物の心理を重層的かつ執拗（しつよう）に掘り下げていきます。ジャンルを問わず、物語がしっかりしています。その上で、グローバル配信プラットフォームの投資が土台となり、より良い映像表現が実現されました。韓国ドラマの人気の秘密は、時代とともに徐々に進化してきたことにあります。

黄　日本のドラマや映画はお好きですか？　また韓国では日本のドラマや映画に対してどのような反応がありますか？

宋　大好きです。代表作を挙げるとすれば、『Mother』『重版出来！』でしょうか。おそらく、日本のドラマや映画のファンでこの2作品を好きじゃない人はいないでしょう。『Love Letter』や『花より男子』は一時代を築き、『孤独のグルメ』や脚本家の坂元裕二さん、野木亜紀子さんの作品は、韓国で着実にファンを集めています。しかし、これからの新作への期待は以前ほど大きくはないようです。新しい試みが必要とされる時期であり、このような状況下では、スタジオドラゴンの参入はより理にかなっていると言えます。

スタジオドラゴンジャパン、挑戦と共感

黄　スタジオドラゴンの日本拠点ができましたが、日本進出の狙いはやはり日本のクリエ

イターとのコラボレーションでしょうか。

宋　最終的には、日本のあらゆる分野のクリエイターのみなさんとのコラボレーションを目指しますが、まずは日本の映像・ドラマ制作関係者のみなさんとともに新しい挑戦への共感を生み出すことを第一に考えています。

黄　日本のドラマ界との様々な協業について、どのような印象をお持ちですか？

宋　これまで韓国では、様々な方法でドラマを企画・制作してきました。一方、日本では放送局を中心とした企画・制作が比較的多いです。新しい企画・制作プロセス、新しい環境を一緒に立ち上げようとするためには、共感することが肝心だと思います。もちろん、慣れない相手との新しい挑戦は簡単なことではありません。しかし、日本と韓国のドラマ業界には、良いコンテンツを作るという情熱があると信じています。簡単ではありませんが、前向きに進められると思います。

黄　韓国のドラマ制作スタジオにとって、日本市場の魅力はいかがですか？

宋　日本には漫画や小説など海外でも注目され愛されているＩＰが無限にあります。これらの実写映像化が一つの大きな目標になっていることも、映像制作会社としては動きやすいところです。

黄　ドラマ業界の展望をどのように見ていますか？

宋　今後、好まれるコンテンツのフォーマットや素材が変わるだけで、市場自体は持続的に成長すると思います。配信プラットフォームの成長とともに、コンテンツが国家間を越境してより多く見られています。弊社では、複数の国のクリエイターたちが協業して一つのドラマを制作する作品がますます多くなっています。究極的にはそれぞれの国のドラマ市場が大きくなることではなく、全世界のドラマ市場が一丸となって成長していくことでしょう。

黄　現在、制作している作品と今後の活動についてお教えください。

宋　韓国の人気ウェブトゥーン原作を日本の脚本家、監督と一緒に企画し、日本でドラマ化しようと進めています。それ以外にも、日本のＩＰを日韓のクリエイターが一緒にドラマ化する企画や日本の優秀な監督、脚本家、プロデューサーと様々なジャンルの作品を企画しています。新しいことに挑戦するクリエイターとの協力関係を広げ、着実に新しい作品を制作・放映していくことを目指しています。

黄　韓国のドラマ制作会社のステータスは非常に高いです。試行錯誤を繰り返しながら発展してきたと思います。具体的なビジョンについてお聞かせください。

宋　『Sweet Home－俺と世界の絶望－』『イカゲーム』などの成功によって、グローバルのクリエイターと視聴者が韓国ドラマに注目するようになりました。もっと大きな夢を描ける制作環境が整ってきたように思います。日本を含む様々な国のクリエイターとコラボレーションし、まだ見ぬ新しい物語（Untold original）を探しています。世界のどこでもドラマを作り、世界中のファンを巻き込む制作スタジオになることをビジョンとして掲げています。スタジオドラゴンジャパンの立ち上げは、そのための一歩となるものです。

映像ビジネスの源、IPと海外戦略

黄　韓国のコンテンツ業界は徹底的なビジネス構造をベースにしたＩＰ展開の明確なビジョンを持っていますが、スタジオドラゴンはどのようなビジョンを持っていますか？

宋　ＩＰを１００％確保し、事業化を主導するスタジオを運営する以上、コンテンツ販売とＩＰ事業ビジネスについては考えざるを得ないです。企画初期からこの部分を綿密に検討します。しかし、弊社はチャンネルや配信プラットフォームではなく、ドラマを企画・制作するスタジオです。その本質に従って、吸引力のあるストーリーテリングと魅力的なキャラクターが最も重要と考えています。

黄　ドラマを企画・開発する際に、最も重要視していることはなにでしょうか。

宋　様々な視点やニーズがあります。その最たるものが、コンテンツの個性をいかに活かすのかです。チャンネルや動画プラットフォームに多様なコンテンツが溢れるなか、ただ好きなだけの無難なコンテンツに注目を集めることが難しくなっています。企画の早い段階でそのコンテンツの本質を丁寧に理解し、それを具現化するために台本や映像演出の独自性を出すことが大切です。そのコンテンツに最も相応（ふさわ）しい視聴者を持つ最適なプラットフォームやチャンネルを探す必要があります。

黄　企画開発の段階で、ヒットの予感を感じることはありますか？　また作品を選ぶ際の着眼点や選択基準はなんでしょうか？

宋　弊社は「プレミアムストーリーテラーグループ」を目指しています。コンテンツのストーリーテリングを最重要視しています。しかし、上場企業である以上、常に結果を出していかなければならないので、会社全体としては、企画されたストーリーのポートフォリオを管理することで、毎年バランスよく成果を出しています。現場の制作者だけではなく、プロデューサーたちも自分のコンテンツが最善の成果を出すことを願っています。そのため、ビジネスの検討も欠かせません。

黄 企画開発段階で海外市場を意識していますか？

宋 もちろんです。現在、韓国ドラマで海外マーケットを意識せずに制作されているものはないでしょう。しかし、恋愛もののように、文化的・歴史的な背景を抜きにして捉えやすい作品なのか、世界的に認知度が高い原作および俳優なのか、といったアイテムの特性などによって市場戦略や注力度が変わっていきます。

黄 プロデューサーの体制が非常に細分化され、役割は広がっているように思います。

宋　ドラマの市場自体が非常に広いので、理想的な制作システムは一つではないと思いますし、様々な制作システムがあり得ます。しかし、ドラマ制作の規模が大きくなればなるほど、スタッフ一人一人が担当する作品のビジョンを、しっかりと伝えることが大切になってきます。みんなが同じ方向を向くようにするために、プロデューサーの役割がより重要になってきたように思います。インタビュー中に記憶が甦ってきたのですが、韓国と日本では数多い劇的な変化が起きてきました。そのなかで多くのクリエイター、アーティスト、業界関係者が挑戦し、活躍していました。私もこれからまた新たな挑戦をしようとしており、両国の多くの素晴らしい人たちが新たに出会い、ともに準備しながら成長することを感じます。今後、ますます両国の人が一緒になって、世界中の人が楽しめるコンテンツを作っていくことになると思います。最後になりますが、「人」がいちばん大切なのです。

K-POPプロデューサーに聞く！コンセプトと世界観

李相昊(イ・サンホ)インタビュー

李相昊　作詞家、作曲家、音楽プロデューサー

〈受賞歴〉第1回韓国音楽著作権大賞ロック部門作曲家賞受賞、第53回日本レコード大賞優秀作品賞受賞（2011）
〈経歴〉ONEWE、ONEUS、BEAST、4Minute、CNBLUE、FTISLAND、AOA、イ・スンギ、キム・ジョングク、K.Will、フィソン、MAMAMOO、2AM、SeeYa、sg WANNABE、Busker Busker、T-ARA、LABOUM、SF9、N.Flying、B1A4などのアーティストの、200曲余りの作曲と編曲を担当。現在は株式会社RBW理事、韓国音楽著作権協会正会員。

クリエイター、詰まった脳を突き抜ける

黄　李さんは韓国コンテンツ振興院が運営する音楽プロデューサー養成講座を担当されています。どのようなことを講義されているのでしょうか。

李　若いクリエイターは現場で活躍する作曲家や作詞家と出会う機会がほとんどありません。養成講座は、そこでクリエイティブな仕事をよりよく行うための方法を若いクリエイターに教えるものです。とはいえ長い時間をかけるべき授業を短時間で行わなければならないため、フィードバックが不十分になることがあります。長期にわたる集中的なトレーニングには、より多くの時間が必要です。クリエイターの育成においては、CJ ENMが主催する新人クリエイターの発掘・育成プロジェクト「O'PEN MUSIC」も担当しています。現役プロデューサーと4～5ヶ月間、発想から音楽完成まで指導し、十分なフィードバックも行います。煮詰まった脳を突き抜ける方法や思考力を教え、クリエイターの創作力を高めるためのトレーニングを指導しています。

黄　韓国の若手クリエイターにはどんな人がいましたか？

李　だいたい20～30歳くらいの人たちでした。天性のセンスがあり、少し訓練すればすぐに音楽を作れる人もいれば、時間がかかる人もいます。私は20年以上、作詞・作曲活動をしていますが、音楽を作るには感覚と知識と技術が必要です。諦めずに、とことんやり抜けば、きっといい曲を作ることができます。すべての人が急に一人で作曲をこなせてしまうクリエイティブ性を持っているわけではありません。

コンセプトから始まる

黄　音楽制作のプロセスを教えてください。

李　Ｋ－ＰＯＰアイドルにとって、コンセプトはとても重要です。私はすべての仕事をコンセプトの設計から始めます。ある会社では音楽が出来上がってからコンセプトを作ることもありますが、弊社はアーティストグループの世界観を重視し、選んだコンセプトに基づいて音楽、ミュージックビデオ、アルバムを作っています。たとえば、コンセプトが韓国の伝統音楽の国楽（グガク）であれば、その音楽を作り、全体的なビジュアルやイメージに合わせて、アルバムやミュージックビデオを制作します。基本的にはコンセプトを考え、コンセプトが決まったらそれに合わせた音楽を作曲し、すべてを完成させるという順序です。

黄　コンセプトは誰が決めているのですか？

李　企画と制作の距離が近い当社では、一緒に意見やアイデアを出し合います。もちろん、アーティストを最もよく表現し、ファンに届くようなコンセプトを決めることが重要です。それぞれのアーティストに最適なコンセプトを決めていくことは、洋服を仕立てるようなものですかね。モデルに最適な服を縫製（ほうせい）するのと同じです。いちばんの決め手は、アーティストに最も適したコンセプトであることです。

自分らしい創作習慣を付けよう

黄　いい音楽を作るための習慣や日課、ルーティンなどはありますか？

李　パソコンの前に座ると、体と頭が硬くなってしまいます。なので、ドラマを見たり、ニュースを見たり、友達に会ったりと日常生活を充実させようとしています。そこが私のアイデアの源ですかね。たとえば、友人に会ってある言葉を聞いたり、話したりすると創造力が刺激されます。この間は、ニュースで若者の失業の情報が流れて「ニート」という言葉が浮かび、若いニートたちの心境を慰める歌を作ろうと思い、その日のうちに家に帰って歌詞を書き留めました。アイデアがほしいときは、外に出てしまいます。またドラマ、映画、演劇、ミュージカル、展示会など、積極的に文化を楽しむことを心がけています。とくにドラマや映画をよく観ますね。おそらく社内でいちばん見ているのは私だと思います。ストーリー設定、台詞、映像から受ける印象はとても大きいです。とくに映画やドラマは、なにかを求めようと、研究者のような心構えで見ています。たとえば、映画『パラサイト 半地下の家族』を見ると「こういう風にテーマを使っているんだ」とか「ここにはこういう伏線があるんだ」と分析してしまいます。私の癖(くせ)ですね。人の思い、行動、状況、すべてが物語のモチーフになります。一言一句、丁寧に表現することから作詞が始まります。

K-POP人気の秘密、成功の方程式がある?

黄 K-POPはなぜ人気があるのでしょうか?

李 理由を特定するのは難しいですね。音楽やアーティストだけでなく、時代とうまくマッチする要素もあります。ある曲やグループが人気を得た結果、新たな投資が始まり、それに応えられるような曲とパフォーマンスが次々と生まれることもあります。スパイラルアップでしょうか。韓国の音楽業界は、非常に競争が激しく、常に進化するために挑戦と努力を惜しみません。いわゆる、成長のための競争です。お互いに競争しながらクオリティを高め合い、ステップアップした音楽を創り出すことを心がけています。韓国は国内市場が小さいので、海外に目を向けるのは当然です。音楽のメロディやリズムに言語は必要ありません。

黄　K－POPにヒットの方程式はあるのでしょうか？

李　昔はキャッチーなメロディがないとダメでした。一度聴いて記憶に残ること、軽くて優しく、親しみを感じ、歌いやすいことです。たとえば、少女時代の「Gee」やWonder Girlsの「Nobody ～あなたしか見えない～」を歌いなさいと言うと、みんな歌えます。それが、作曲家たちの間の暗黙の成功方程式でした。聴いたときに印象に残るリズムとメロディは、K－POP制作の重要な方程式と位置づけられていました。それが今は変わりました。進化を遂げ、様々なジャンルやスタイルの楽曲を生み出しています。

黄　今は、どのように変わりましたか？

李　K－POPは新たな成長の準備をしています。韓国よりも海外で人気のグループもいます。BTSはまさにその例です。私が懸念しているのは、K－POPが非主流文化であり続けることです。K－POPが音楽のメインストリームになるためには、その壁を乗り越えることが重要なのです。

黄　どうすれば乗り越えることができるのでしょうか？

李　「K－POP＝アイドル音楽」と言われています。アイドルに限定しているのが気になります。たとえば、2012年のPSY（サイ）の「江南スタイル」のように、斬新な曲とパフォーマンスが世界の音楽界を席巻したことがあります。今後、BTSに続き、記録を更新できるアーティストが登場すれば、K－POPはもっと成長すると思います。

黄　韓国のドラマの場合、グローバル動画配信プラットフォームの影響が大きいです。K－POPが非主流から主流になるには、プラットフォームやメディアの影響力に期待するのはいかがでしょうか？

李　ありえますね。どんな音楽がどのように売れるかは分かりませんが、韓国ドラマの裾野を広げるためにグローバル動画プラットフォームは活用されています。音楽は国によってプラットフォームが異なりますが、積極的なマーケティングとアイデア次第で、成長の可能性があると思います。K－POPアイドルグループは、広報やマーケティングを活発に行っています。他の音楽ジャンルでも活躍していければ、可能性はあります。

黄　歌詞を作る上で意識されていることはありますか。

李　K－POPは世界観が重視される傾向があります。その枠組みに沿って曲を作っています。メインテーマが「光の世界」だったら、光の世界観を表す歌詞や曲を決めていきます。次は「時間」だとしたら、「時間」という世界観をいかに表現するかに重きを置いて歌詞を作ります。世界観、テーマ、それがコンセプトの土台になります。

国内ファンを味方にするのが第一歩

黄　この曲は海外で売れそうと感じたことはありますか？

李　まったくありません。国内市場は飽和状態で、競争は非常に厳しいです。多くの作曲家やプロデューサーは、国内市場で成功すれば、海外でも成功すると考えています。そのくらい韓国の音楽業界の競争力は高く、新曲がリリースされるたびに新たなクリエイティブへの挑戦を見つけることができます。国内で評価されるコンテンツは、海外でも評価されるという方程式が導き出されています。

黄　すると、韓国の国内市場はグローバルスタンダードなのでしょうか？

李　いちばん大変なのは、国内のファンに受けることです。韓国のファンは冷静に評価するし、ともに盛り上げる助力者のような位置づけです。彼らの好みに合わせることができれば、世界中にリーチすることができるのです。映画、ドラマ、ウェブトゥーン、音楽など、日常生活の中で多くのコンテンツを消費しています。つまり、喜びや満足のレベルが高ければ高いほど、要求も多くなるのです（笑）。ファンはコメントでのコミュニケーションや意見表明を積極的に行っています。ドラマの場合は結末を予測し、自分たちで情報を共有します。コンテンツとファンの間には、お互いの息を合わせる空間があると信じています。その意味で、ファンモニタリングは欠かせないです。

黄　ファンモニタリングで、コンセプトが変わることはありますか？

李　ファンモニタリングでの意見のすべてを受け取ることはありません。ここまでと線引きしていますが、大事なコミュニティだと意識はしています。MVに過度な暴力や露骨な表現が含まれていた場合、ファンからすぐに申し入れがあります。時々ですが、アルバムのコンセプトがファンの声をもとに作られたことはありますね。基本的には、海外と国内のファンを分けて考えて、曲やパフォーマンスを構想することはありませんが、最近になって両者の好みが違うことに気づきました。海外のファンが過激でセクシーなパフォーマンスを求めるのに対し、国内のファンはクールでボーイッシュなものを求めます。この異なる共感の要素をどうすればまとめて表現できるのかが悩みですかね。

海外との協業と今後のK－POP

黄　日本のクリエイターたちと共同で創作活動をしたことがありますか？

李　「ソングキャンプ」というプログラムで、日本の作曲家たちと数日間一緒に仕事をしました。国際共同制作を行うと、異文化、異なる作り方、異なる考え方を十分に体験することができます。機会があれば、J－POPとのコラボレーションを実現し、アジア音楽として世界に展開してみたいです。NiziUは、新たなグローバル展開を見せ、そこから拡張ができそうな協業体制が作られました。海外の現地アーティストを発掘し、K－POPの人材育成システムを活用することで、多様なビジネスモデルや、クリエイターが登場すると信じています。韓国の音楽を発展させる貴重な挑戦だし、次々と進化したコラボレーションが生まれるでしょう。

黄　「ソングキャンプ」とはなんでしょうか。

李　北欧由来のコラボレーションシステムですね。海外のクリエイターたちとのソングキャンプは以前からやっています。スウェーデンのソングライターと協力し、ソングキャンプを通じてプロジェクトを立ち上げたことがあります。K－POPには大きなマーケットがあると思ったのでしょう。ただし、アメリカン・ポップ風に偏っているところが少し気になりました。海外のクリエイターの感情、感性はアメリカン・ポップな要素が強いです。K－POPにはK－POPにしかない特徴や思いがあります。K－POPは手の指紋のようなものです。知らず知らずのうちにアイデンティティを持っているのです。K－POPの本来の特徴を活かしながら、新しい楽曲を作り上げることが重要です。

黄　グローバルなクリエイターになるために必要なものはなんでしょうか。

李　アーティストを通して音楽の世界観をうまく伝えられるかどうか、難しいことではありますが、信じなければならないのです。自分が作ったものが、すべての人に感動を与え、共有されることを信じなければなりません。文化、宗教、性など、誰かを不快にさせるようなことをしないように気をつけるべきです。

黄　今後、Ｋ－ＰＯＰはさらに発展していくのでしょうか？

李　さらに発展し、Ｋ－ＰＯＰの音楽はビルボードチャートで安定した地位を占めるようになることでしょう。多くのクリエイターに出会ってみて、Ｋ－ＰＯＰは間違いなく未来志向のジャンルになると思いました。より良い音楽を作りたい、一生懸命やりたいという思いがあるのでしょう。そういう人がいれば、将来、道を切り開き、市場を拡大することができるはずです。Ｋ－ＰＯＰは終わるのではなく、変わっていくのです。進化によりどのように生まれ変わるのかが興味深いです。10年後にＡＩが発展すれば、人間以外のＡＩアイドルが人気者になる可能性もあります。このように、市場そのものは、Ｋ－ＰＯＰを止めたりするのではなく、変化していくものと捉えています。

第8章

日韓協業によるアジアエンタメの時代へ

日韓のポップカルチャーとその影響

日本のNPO法人「言論NPO」と韓国のシンクタンク「東アジア研究院（EAI）」は毎年、日韓合同の世論調査を行っている。2022年の第10回日韓合同世論調査は、7月から8月にかけて実施された。[*35]

発表されたデータによると、日本人の40・3%が韓国に対して「良くない印象」を持ち、前年より8・5ポイント減少している。また、日本に対して「良くない」という印象を持つ韓国人は52・8%で、前年より10・4ポイント減少した。相手国への印象を「良い」とした回答者は、2013年から始まった調査で2番目に多く、両国の国民感情が改善したことを示していた。

日本人が韓国に「良い印象」を持つ理由としては、「K-POPやドラマなど韓国のポップカルチャーに興味がある」（44・7%）、「韓国の食文化やショッピングが魅力的」（43・4%）が上位を占めた。好感を持った理由として、例年通り「韓国の文化や料理」を挙げる人が多かった。他にも「民主的な国だから」が21・4%で前年比5・3ポイント増加、「民間交流で韓国を身近に感じたから」が22%で前年比5・5ポイント増えたことが目立った。

*35 https://www.genron-npo.net/world/archives/13326.html

韓国人が日本に「良い印象」を持つ理由としては、例年通り「日本人は親切で誠実な人たちだ」「日本は先進国で生活水準が高い」の二つが上位を占めている。最も顕著な変化は、「同じ民主主義国家だから」の割合が12・1％から25・7％と倍以上になったことである。

ここで気になるのは、ポップカルチャーの影響である。日本人の41・8％、韓国人の58・4％が相手国のポップカルチャーに「興味がない」と回答し、日本人の34・6％、韓国人の17・2％が「楽しんでいる」と回答している。楽しんでいる分野は、日本人は「ドラマ」（41・3％）、「音楽（K－POP）」（31・8％）、「映画」（6・4％）を挙げた。一方、韓国人は日本の「漫画やアニメーション」が68・4％と大半を占め、「映画」「ドラマ」が2割強を占めている。

双方のポップカルチャーを楽しんだ結果、日本人の86・2％、韓国人の81・3％が相手国に対する印象が良くなったと回答した。さらに、日本の回答者の61％が、日韓の政府間関係が悪化しても、相手国のポップカルチャーを楽しむと回答している。一方、韓国人の約半数（47・5％）が、「日韓の政府間関係が悪化したら、相手国のポップカルチャーを楽しめなくなる」と回答している。

前述の結果から、両国において互いに良い印象を与えることにポップカルチャーが大きく寄与していることが分かる。コンテンツによる情報交換や親近感によって、それぞれの国の印象が決まる。コンテンツは両国の関係を改善するための一つの解決策であるのだ。

いかに協業すべきか、新たな取り組み

映画『新感染 ファイナル・エクスプレス』『新感染半島 ファイナル・ステージ』、ドラマ『地獄が呼んでいる』で知られるヨン・サンホ監督が、岩明均(いわあきひとし)の漫画『寄生獣』をドラマ化することが決定した。残虐な描写と哲学的な問いかけが共存する『寄生獣』は国内外の読者を魅了し、ハリウッドでの映画化の話も出ていた。2016年に日本で放送されたドラマ『重版出来!』が、韓国で『今日のウェブトゥーン』というドラマにリメイクされた。このように、日本と韓国の間では一つのストーリーが両国で展開され続けている。両国で物語が次々と展開されるなかで、様々なコラボレーションが生まれることだろう。

近年の韓国の傾向として、日本を含めたグローバルマーケットを一つの国や地域に限定して捉えるのではなく、どこでも誰でも共感するストーリー開発を目指すようになってきている。韓国というローカルな舞台でありながら、平和の本質や社会の未来への願いを訴える普遍的なメッセージこそ、世界の人々の共感を呼べると信じている。映画『パラサイ

ト半地下の家族』は、韓国の格差社会に対する問題意識を盛り込んだ作品だが、今の時代の社会情勢を代弁し、世界から共感を集めた。前半はコメディ、後半はサスペンスの見事な構成、格差を際立たせる設定と伏線など、韓国に限らず、世界の人々の心が通じ合うエンターテイメントとグローバリゼーションの関連性を超えることを目指したと言える。

そのために、複数の作家で構成される「作家チーム」の構造や制作部門の役割分担を変更し、より斬新なストーリーを開発できるようにしている。通常、一人の作家が数人のリサーチャーやサブ作家と協力して、一本の脚本を完成させる。しかし、質の高いストーリーを生み出すために、作家チームの役割を細分化・多様化させる傾向がある。

韓国ドラマ『ミスティ 愛の真実』は、脚本家ジェイン氏とクリエイティブディレクターのカン・ウンギョン氏が手がけた作品である。『浪漫ドクターキム・サブ』『製パン王、キム・タック』など、韓国を代表するドラマの脚本を数多く手がけるカン・ウンギョン氏は、脚本を書くだけでなく、2015年に設立したドラマ制作団体「Gleline」を通じてドラマ撮影の現場に立ち入り、脚本の調整やセリフの意図などについてプロデュースしている。[*36]

また、ストーリーIPの開発のために、新概念の専門集団もいくつか登場している。新

＊36 http://gleline.com/main.html

人作家のアイデア採用やデビューの機会を増やし、良いストーリーを開発するため、複数の作家がチームとして共同作業を行う。原作がある場合、ドラマ化の可能性を徹底的に分析し、ドラマ企画書を作成し、それが通ったら脚本づくりに取りかかる。企画開発費・脚本費・二次利用などで収益を得る仕組みだ。オリジナルストーリーを開発する場合もストーリーからキャラクター設定までチームに分けて企画を練っていく。ドラマの制作が始まると、脚本プロデューサーまたはクリエイティブディレクターが撮影現場で活躍する。ドラマ作家の間では、細分化・分業化によりクオリティアップを目指し、制作手法の多様化・多角化が進んでいる。

そして、多様なコラボレーションがあってこそ、おもしろいものができるのだ。映画『ミナリ』と『オクジャ』は、アメリカの資本と制作会社が、韓国を題材に韓国の俳優を起用して作った作品である。是枝裕和監督の映画『ベイビー・ブローカー』、三池崇史監督の韓国ドラマ『コネクト』にも同じことが言える。国境を超えた協力がますます盛んになってきている。

M&Aによる企業間連携も目立つ。2022年5月、日本のTBSは、韓国最大のIT企業ネイバーのグループ会社で、電子マンガプラットフォームを手がけるネイバーウェブトゥーンと、マンガ制作会社 SHINE Partners と3社合弁でウェブトゥーン制作会社「Studio TooN」を設立した。[*37] TBSは新会社「Studio TooN」を通じて、ウェブトゥーンを制作する。日本や韓国のクリエイターとグローバルな視点でオリジナル作品を開発し、ドラマやアニメなどの映像化でTBSのコンテンツを充実させるグローバルIP戦略を推進している。

K－POPはどうだろうか。K－POPの市場は、すでに国内と海外という境界線がなくなっている。自国のアーティストや曲をそのまま海外に輸出する時代は終わった。多国籍のメンバー構成、オーディションを通じた現地の優秀なメンバーの育成に取り組んでいる。一方的な輸出をするのではなく、NiziU、JO1（ジェイオーワン）、INI（アイエヌアイ）など、現地の企業と一緒に作る試みが行われている。

ドラマ・映画×音楽

フジテレビで2018年に放送されたドラマ『シグナル 長期未解決事件捜査班』は、現

*37 https://topics.TBS.co.jp/article/detail/?id=15780&fbclid=IwAR2BxP2SaiqDQO4JihD95vR4S_ySGDyF9dy8hG4O1c1Y-IzcHRgnTIV1mKM

在と過去を生きる二人の刑事が、時間を超えて無線で結ばれ未解決事件を調査するストーリー。ドラマの主題歌はBTSの「Don't Leave Me」で、ストリーミング再生回数は1億回を突破した。東方神起は、テレビ朝日のドラマ『サイン 法医学者 柚木貴志の事件』、フジテレビの『チーム・バチスタ4 螺鈿迷宮』、アニメーション『ONE PIECE』の主題歌を担当してきた。日本のテレビアニメ『神之塔 Tower of God』の主題歌はStray Kidsが歌って、オリコン週間ランキングで1位を獲得した。

日本のアーティストが韓国のドラマや映画とコラボレーションすることもよくある。韓国ドラマ『太王四神記』では作曲家の久石譲（ひさいしじょう）が、『青い海の伝説』は作曲家の吉俣良（よしまたりょう）が、映画『天命の城』は作曲家でサウンド・プロデューサーの坂本龍一（さかもとりゅういち）が協力した。坂本龍一は、2018年「第23回釜山国際映画祭」のオープニングセレモニーで演奏し、「今年のアジア映画人賞」を受賞した。

音楽とドラマ・映画の日韓コラボレーションは、多様に広がっている。ウェブトゥーンが原作の韓国ドラマ『梨泰院クラス』をリメイクしたドラマ『六本木クラス』では、元のドラマの主題歌であるGhao（ガホ）の「START」を、THE BEAT GARDENが主題曲「Start Over」としてカバーした。日韓のリメイク作品に関連して主題歌をカバーしたのは今回が初めてである。今後、韓国の作品が日本の音楽をカバーすることもあるかもしれない。

日本と韓国のドラマや映画の制作には音楽が欠かせない。主題歌や挿入曲は作品の世界観を伝える要素として、非常に重要な役割を担っている。韓国ではドラマそのものよりOST（Original Sound Track）のほうが人気がある場合もある。韓国ドラマを見ると、ドラマの途中に曲が流れ、歌詞と旋律がドラマのシーンを際立たせる。2000年前後は無名の実力派歌手が歌っていたが、今では、トップクラスのアーティストが歌うOSTが多く、とくにK－POPのアイドルグループのOST参加が目立つ。

なぜOSTが注目されるのかは、韓国ドラマの国際的な需要に関係している。韓国ドラマファンは、ドラマの中で聴くOSTが、シーンの感情線を維持する役割を果たしながら、どんどん完成度を高め、歌詞がセリフに代わっていくことに惚れ込んでいるという話をよく耳にする。ビジネス面では、コンサートやCD発売などの音源ビジネスによる付加価値と収益が期待できることから、制作会社の収益対象としてドラマのOSTは欠かせない。

「Drama Original Sounds Korea」という、2019年まで日本で毎年開催された韓国ドラマのOSTコンサートがある。このイベントは、駐日韓国文化院、韓国コンテンツ振興院、韓国観光公社が、韓国コンテンツ事業者の協力を得て開催したものである。私が韓国コンテンツ振興院日本ビジネスセンター長を務めたときに企画・運営した「Drama Original Sounds Korea ２０１８」は、ドラマ『冬のソナタ』以来15年ぶりに韓国ドラマを愛する人々が集い、韓流15周年を祝う「韓流同窓会」をコンセプトとしたものであった。[*38] 翌年の「Drama Original Sounds Korea ２０１９」は、Ｋ－ＰＯＰのアーティストやガールズグループを招き、新たな韓流ファンを獲得することを目的に開催された。[*39]

【コラム】新人クリエイターに聞く、日韓協業のあり方

私は、「国際和解映画祭（East Asia Reconciliation International Film Festival、以下ＥＲＩＦＦ）」で、２０２１年から理事と映像部門の審査委員を務めている。ＥＲＩＦＦは、関東圏を中心とした現役大学生で構成されるＥＲＩＦＦ実行委員会と、早稲田大学国際和解学研究所によって運営されている。映画を通じて「和解」について考える「場」として、対話と議論を生み出すことを目的としたイベントである。２０２１年7月に開催されたＥＲＩＦＦ２０２１では、脚本、企画、映像、3部門で国内外から２０９作品の応募があり、

*38 https://japanese.korea.net/Events/Overseas/view?articleId=3543
*39 https://www.dosk2019.com/

コンペティションと表彰式、上映会が行われた。[*40]

受賞式から1年後の2022年夏、ようやく韓国で受賞者に会い、作品について話を聞くことができた。それぞれが伝えた「和解」のメッセージは異なるが、日韓のクリエイティブ・コラボレーションに対する彼らの考えを認めたいと思った。ほとんどが大学生で、中には高校在学中に制作した作品を出品した人もいた。将来は、監督、脚本家、プロデューサーといったクリエイターの道を歩みたいと言っており、当然、国際共同制作も視野に入れていた。そこで、日韓協業のあり方について話すようになった。

そのうちの一人は、高校生のときに日本に短期留学し、今はそのときに知り合った日本人の友人から遠隔で日本語を学びながら、自分も韓国語を教えているそうだ。「両国の現代文化にとても興味があります。私は日本のアニメや小説が好きで、日本人の友人は韓国ドラマやK－POPなど、お互いのポップカルチャーが好きなんです。両国の過去、現在、未来をともに提示するなにかを作りたいです」と語っていた。

韓国の政府機関の支援を受けてドラマ3部作を制作している大学4年生は、「今作っている作品は2030年を背景にした人間の本質を焦点にしていて、SFの要素も含んでいま

*40 https://www.eriff.org/eriff2021competition

す」と語る。「最初の3本は韓国、次は日本、その次は中国、アメリカ、フランスなどを舞台に、オムニバスシリーズができたらおもしろいと思っています」と、ＩＰビジネスを視野に入れ、ドラマ制作会社の立ち上げの準備も本格化していた。

そのなかで、アメリカの大学を辞め、韓国芸術総合学校への編入を控えている一人は、メディアが作り出した既存の日韓関係を指摘して次のように語った。「お互いを知らないからこそ、その溝はさらに深くなることもあります。文化は、国籍に関係なく生きているものです。お互いに文化の本質を理解するためのプロジェクトを企画し、発表できるような共同制作の場があればいいと思います」。

出会った若いクリエイターたちが、真剣に向き合い、実践に踏み出した姿が忘れられない。日本の若手クリエイターもきっと同じだろう。「協業」「共同制作」という言葉を連想すると、大資本や巨大な制作体制の話だと思うかもしれない。しかし、アイテムを共有しより深く掘り下げ、実現できることをまとめ、同じ作品を見て感想を語り合い、小さなことでも実行することが大切である。

コンテンツを通じた「共感」を求めて

2022年秋学期から、城西国際大学メディア学部で「韓流エンタテインメント実践」の授業を担当しているが、学生のほとんどがK－POP好きで、韓国のポップカルチャーに深い関心を持っている人たちである。中には韓国語が堪能な人もいる。授業では、ビジネスの仕組みや、ジャンルごとの海外展開の戦略や特徴について探究する。最初の授業で、韓流の影響について議論したとき、ある学生は「日韓関係をより前向きにするものだ」と答えた。好き嫌いではなく、親しみを持つことで、共感できる部分が生まれ、相互理解への一歩となるのである。

電車の中でスマートフォンの画面を高速で縦スクロールしながらクスクス笑う姿は、最近では珍しくない。ウェブトゥーンを読んでいるようである。ファミリーレストランでは、韓国風メイクの若者が、友人とYouTubeを見ながらメイクやファッションを語り合う光景がよく見られるようになった。公園で韓国ドラマの主題曲を歌ったり、K－POPのダンスを練習したりと、コンテンツを通じて韓国のポップカルチャーを楽しんでいる姿を見ると、日本と韓国の間に「共感」が生まれているのを感じる。

内閣府が実施した「外交に関する世論調査（令和3年2月更新）」によると、18～29歳のみが、50％以上の割合で「韓国に親しみを感じている」と回答している（図8－1参照）。

　コンテンツビジネスの面はどうだろう。当初は、「供給者」（プロデューサー、俳優、アーティストなど）と「需要者」（日本のドラマやK－POPの事業者、ファンなど）の間に、市場性を重視した縦の関係が構築された。コンテンツを優先し、市場性を確保するための売り手と買い手という単純な経済観念が、こうした関係を豊かにしてきたとも言える。

　一方、ソーシャルメディアの発達は、供給者と需要者の間に「共感」と「コミュニケーション」を生み出した。供給者と需要者が誰の介入もなく直接コミュニケーションするファンダムの空間が生まれたのである。このファンダムの空間は、文化的な実践の場でもあり、「推し」と呼ばれる様々なアクティビズムの場でもある。また、ファンダムをベースとした新しいコンテンツやビジネスモデルも次々と生まれている。ファンコミュニテ

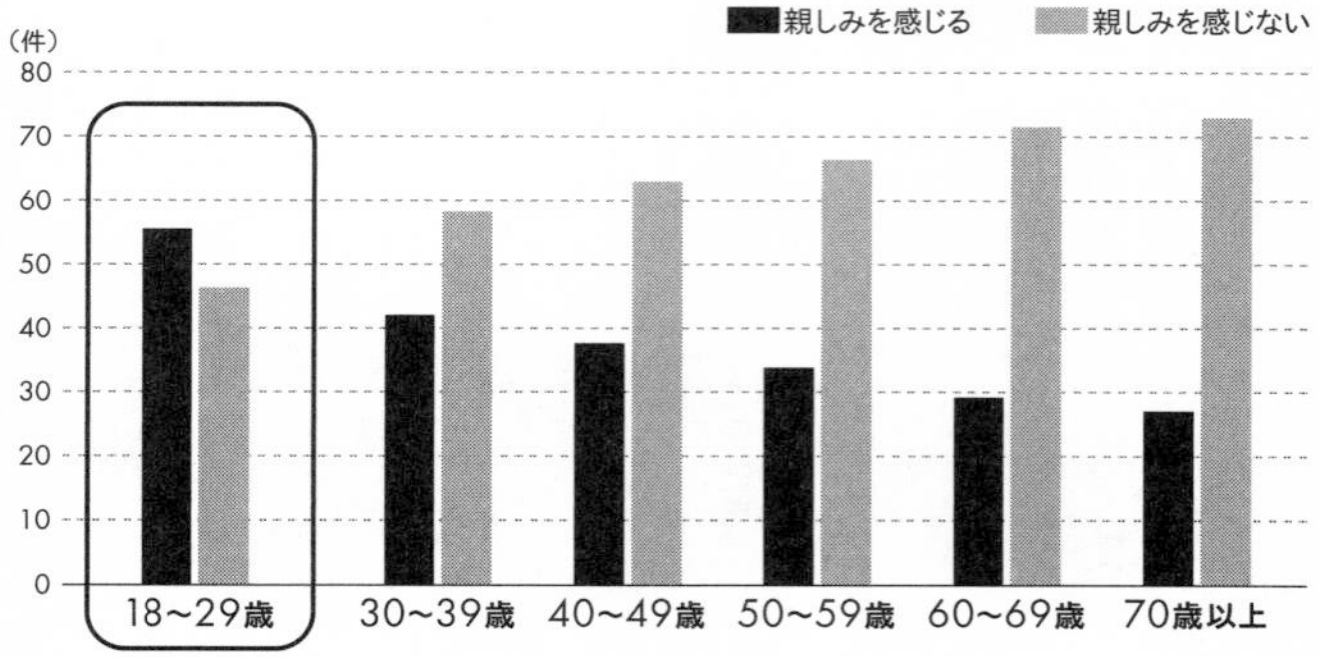

図 8-1　韓国に対する好感度（調査期間：2020.10.22〜12.6）
出典：内閣府「外交に関する世論調査（令和３年２月更新）」

イプラットフォームによるプライベート・メッセージ・サービス、ビデオ電話によるイベント、オンラインサイン会、デイリームービーなど、様々なサービスとコンテンツが提供されている。

これまでは、生産能力の高い国や豊富な情報を入手できる組織が強かったが、今後はどうだろうか。国や地域、組織を分けるのではなく、同じ価値観や世界観を持ち、それを共有できる空間を作ることで「一つの世界」は広がると考えられる。日韓のコンテンツ産業の未来は、コンテンツでいかに「世界」を作るか、コラボレーションでいかに多くの「世界」を見せるかにかかっていると信じる。変化の先頭に立ち、未来を「予測」することが必要であり、その手段は未来を自ら「作る」ことである。

最後に、ビジネスや映像制作で行き詰まったときに基本に立ち返ることの重要性を示してくれるある人の話をして締めくくる。「現代経営学」「マネジメント」の発明者と呼ばれる、ピーター・ファーディナンド・ドラッカー（Peter Ferdinand Drucker）。「人」に焦点を当て、人々を幸せにするという考えは、企業、組織、社会全般に関する彼の言説である。「社会生態学者」と自称し、哲学、心理学、文学、自己表現などあらゆる分野に影響を与えてきた。

〝変化はコントロールできない。できることは、その先頭に立つことだけである〟

まず、本書を最後まで読んでいただいて感謝する。
この本を締めくくるにあたり、あらためて「なぜこの本を書こうとしたのか」を考える。

まずはドラマ、映画、音楽、漫画などのコンテンツ業界で働く方々のプロデュースやビジネスのヒントになれば幸いである。一方で、韓国コンテンツの試行錯誤や成功談がすべて正しいかどうかは、個々の読者の判断にお任せしたい。コンテンツ業界は今この瞬間も変化を続けており、変化に非常に敏感なコンテンツは、特定のフレームやモデルにあてはまらないからだ。つまり、変化をコントロールすることはできず、変化の最前線に立つ必要がある。

〝企業はなによりも「アイデア」であり、アイデアを生むことができるのは個々の人間だけである〟

大企業のリーダーたちに会うとき、耳にする悩みのほとんどは、人手不足に関するものである。より正確には、人材不足である。しかし、多くのリーダーは、なにが必要かを明確に示していない。どんな人材を育てたいのか分からない、ということ。とくにコンテンツ業界では、スーパーマンのような多彩なスキルを持ち、全力で取り組む戦士が求められる。

韓国のコンテンツ産業が発展し続けているのは、人間の成長が止まらないからである。失敗を恐れず、次々と意見を出し合って行動する「チェンジ・リーダー」が数多く成長してきた。ドラマ制作会社の代表者の間でも、倒産を繰り返しても、また会社を立ち上げ、その経験を捨てなかったなど、再生の話を聞くことも珍しくない。企業は様々なイノベーターが生まれる「アイデア」が集まる場所である。

〝未来を予測する最良の方法は、未来を創ることだ〟

ある日、あるジャーナリストから私の「生き方」について尋ねられた。『文明の衝突』を取り上げながら、未来の衝突について熱く語ったことを覚えている。

私は政治学者でも国際関係の専門家でもないが、ある時期に高い生産能力を持つ国が続々と新産業を創り出し、世界経済のリーダーシップを発揮するのを目の当たりにした。情報力が軍事力を凌駕し、ハードウェアとソフトウェアの対立が鮮明になる流れを肌で感じてきた。

ドラマ、映画、音楽などのコンテンツ産業の成長、グローバル展開、そして世界中の人々が求めているものを長い間見てきたが、未来の世界は、「ストーリー」と「価値観」に基づいて再構築される予感がする。かつて求めた偉大なヒーローやサクセスストーリーが飽きられ、個人の物語や人間の普遍性を探求し続けるキャラクターに出会いたくなるだろう。我々の創造力で未来を創り出すことが、未来を予測する手法である。

「なぜこの本を書こうとしているのか」

この本を読んだ方々の行動パターンを想像してみたい。読書の目的によって行動は変わるが、著者としては、今居る場所から飛び出し、街中を観察したり、映画を観たり、頭のなかにある思いを書き留めたりしてほしい。創造力を伸ばす方法を見つけてほしい。

「私の生き方」

難しい問いだが、これが質問の答えになることを願う。「創りながら」「書きながら」「伝えながら」、この三つのことをやり続けるために、できる限りのことをしたいと思う。

最後に、執筆にご協力いただいた方々、書籍を出版まで導いていただいた星海社の太田克史さん、見野歩さん、丸茂智晴さんに心から感謝を申し上げる。

星海社新書
245

韓国コンテンツのグローバル戦略

韓流ドラマ・K-POP・ウェブトゥーンの未来地図

二〇二三年一月二四日　第一刷発行

著者　黄仙惠
©Seonhye Hwang 2023

発行者　太田克史
編集担当　丸茂智晴

発行所　株式会社星海社
〒一一二-〇〇一三
東京都文京区音羽一-一七-一四　音羽YKビル四階
電話　〇三-六九〇二-一七三〇
FAX　〇三-六九〇二-一七三一
https://www.seikaisha.co.jp/

発売元　株式会社講談社
〒一一二-八〇〇一
東京都文京区音羽二-一二-二一
（販売）〇三-五三九五-五八一七
（業務）〇三-五三九五-三六一五

印刷所　凸版印刷株式会社
製本所　株式会社国宝社

アートディレクター　吉岡秀典（セプテンバーカウボーイ）
デザイナー　山田知子＋門倉直美（チコルズ）
フォントディレクター　紺野慎一
校閲　鷗来堂

●落丁本・乱丁本は購入書店名を明記のうえ、講談社業務あてにお送り下さい。送料負担にてお取り替え致します。なお、この本についてのお問い合わせは、星海社あてにお願い致します。●本書のコピー、スキャン、デジタル化等の無断複製は著作権法上での例外を除き禁じられています。●本書を代行業者等の第三者に依頼してスキャンやデジタル化することはたとえ個人や家庭内の利用でも著作権法違反です。●定価はカバーに表示してあります。

ISBN978-4-06-530949-0
Printed in Japan

245
SEIKAISHA SHINSHO

232

韓国ドラマ！愛と知性の10大男優

康 熙奉 Kang Hibong

韓国の人気俳優のすべてがわかる

韓国ドラマを彩る魅力的な男優たちの生々しい素顔と印象的な発言を紹介しながら、彼らの主演作の演技を幅広く解説。特に、彼らが持っている「知性」に着目し、ファンから愛される背景を明らかにする。他にも韓国の男優の育ち方・学歴・兵役といった気になる経歴についても詳しく触れ、彼らはなぜスターであり続けるのか、その理由の核心に迫る。韓国ドラマ界の頂点に君臨するビッグ3、本格派、個性派などの10大男優から、若き才能、注目のイケメンまで。世界を熱狂させる韓国ドラマに主演する人気俳優の魅力を余すところなく網羅した必読の一冊。

韓国ドラマ！愛と知性の10大男優

康 熙奉 Kang Hibong

232 SEIKAISHA SHINSHO

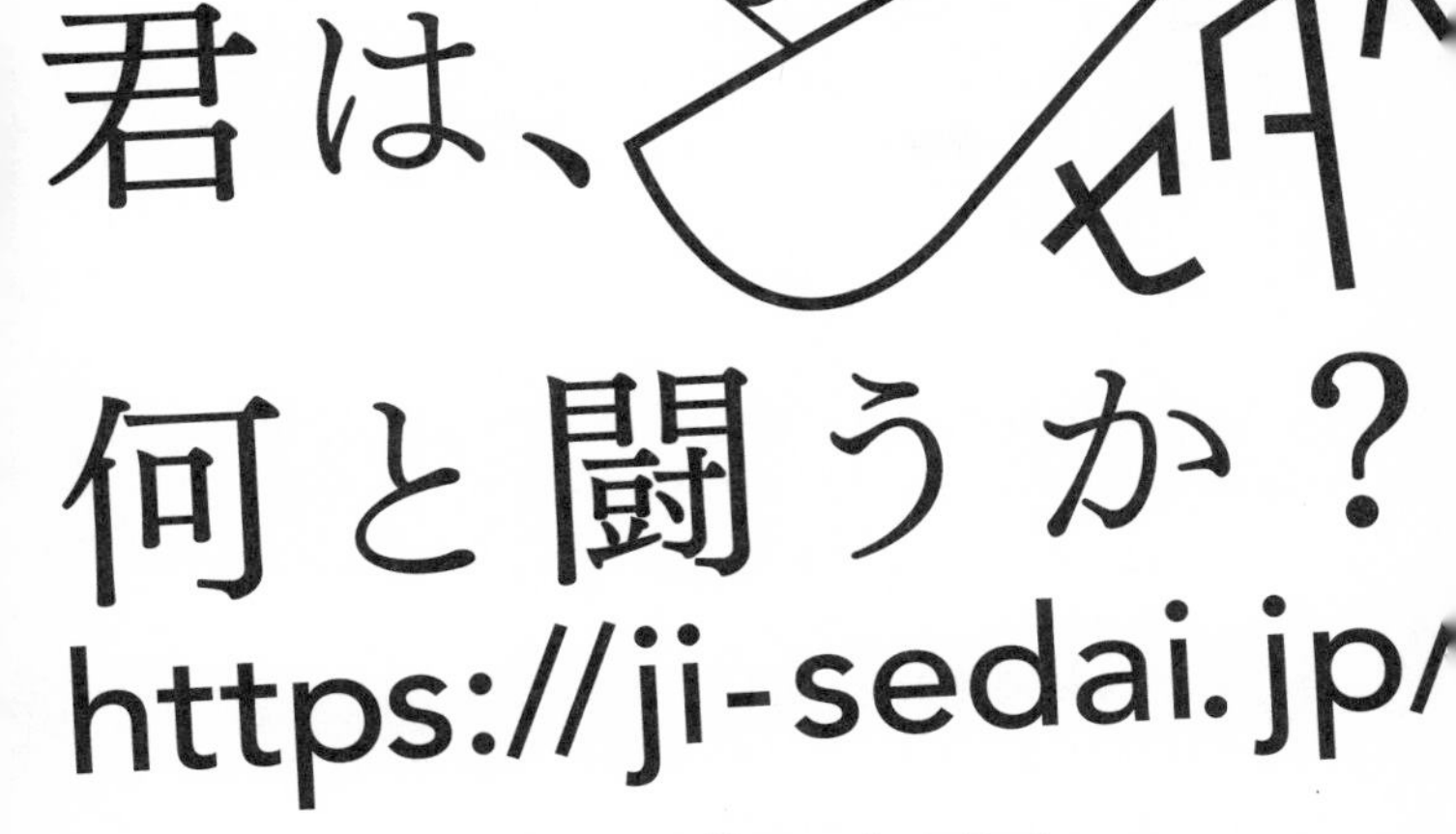

「ジセダイ」は、20代以下の若者に向けた、**行動機会提案サイト**です。読む→考える→行動する。このサイクルを、困難な時代にあっても前向きに自分の人生を切り開いていこうとする次世代の人間に向けて提供し続けます。

メインコンテンツ

ジセダイイベント	著者に会える、同世代と話せるイベントを毎月開催中！　行動機会提案サイトの真骨頂です！
ジセダイ総研	若手専門家による、事実に基いた、論点の明確な読み物を。「議論の始点」を供給するシンクタンク設立！
星海社新書試し読み	既刊・新刊を含む、すべての星海社新書が試し読み可能！

Webで「ジセダイ」を検索!!

行動せよ!!!

次世代による次世代のための

武器としての教養
星海社新書

星海社新書は、困難な時代にあっても前向きに自分の人生を切り開いていこうとする次世代の人間に向けて、ここに創刊いたします。本の力を思いきり信じて、みなさんと一緒に新しい時代の新しい価値観を創っていきたい。若い力で、世界を変えていきたいのです。

本には、その力があります。読者であるあなたが、そこから何かを読み取り、それを自らの血肉にすることができれば、一冊の本の存在によって、あなたの人生は一瞬にして変わってしまうでしょう。思考が変われば行動が変わり、行動が変われば生き方が変わります。著者をはじめ、本作りに関わる多くの人の想いがそのまま形となった、文化的遺伝子としての本には、大げさではなく、それだけの力が宿っていると思うのです。

沈下していく地盤の上で、他のみんなと一緒に身動きが取れないまま、大きな穴へと落ちていくのか？　それとも、重力に逆らって立ち上がり、前を向いて最前線で戦っていくことを選ぶのか？

星海社新書の目的は、戦うことを選んだ次世代の仲間たちに「武器としての教養」をくばることです。知的好奇心を満たすだけでなく、自らの力で未来を切り開いていくための〝武器〟としても使える知のかたちを、シリーズとしてまとめていきたいと思います。

2011年9月

星海社新書初代編集長　柿内芳文